WITHDRAWN BC

D0324998

LOS ALMUERZOS

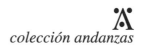

colección andanzas

EVELIO ROSERO
LOS ALMUERZOS

TUSQUETS
EDITORES

1.ª edición: septiembre de 2009

© Diseño de la colección: Guillemot–Navares
Tusquets Editores, S.A. – Cesare Cantù, 8 – 08023 Barcelona
www.tusquetseditores.com
ISBN: 978-84-8383-172-4
Depósito legal: B. 28.179-2009
Fotocomposición: Anglofort, S.A.
Impresión: Limpergraf, S.L. - Mogoda, 29-31 - 08210 Barberà del Vallès
Encuadernación: Reinbook
Impreso en España

Para Róbinson Quintero y Rafael del Castillo

«... más acá de la cabeza de Dios,
en el lívido pescuezo de la bestia,
en el hocico del alma.»

CÉSAR VALLEJO

I

Tiene un miedo horrible de ser un animal, sobre todo los jueves, a la hora del almuerzo. «Tengo ese miedo», dice, y descubre su joroba reflejada en la ventana. Sus ojos merodean por sus ojos: se desconoce: «Qué otro», piensa, «qué otro», y escruta su rostro. «Los jueves», se repite, «este jueves, sobre todo, que es el día de viejos». Martes de ciegos, lunes de putas, viernes de familia, miércoles de gamines, y sábado y domingo días de Dios, según el padre: «A descansar los espíritus», le pide, o, lo que es igual, a rezar y batir incienso: misa, misa, misa. Misa hay todos los días, Palabra de Dios, pero cada mediodía entre semana la parroquia es el infierno. Con semejantes almuerzos no queda paz para almorzar. Almuerzan ellos. Él debe vigilar, hacerse cargo de las cosas, desde el principio. Los jueves, sobre todo, cuando tiene un miedo horrible de ser un animal. A las diez de la mañana empiezan a brotar viejos y más viejos de los cuatro puntos cardinales, Bogotá los escupe por docenas; y hacen cola impacientes, recostados a la orilla de la iglesia, ante la puerta lateral que conduce al comedor, y que sólo se abre a las doce en punto, se desplome el granizo o arda el sol, puntas de cuchillo. Los viejos no soportan ningún clima, y tampoco toleran que la puerta de metal sólo se abra al mediodía: su cola es de lamentos y gruñidos, de imprecaciones. Son los únicos que olvidan que su almuerzo es otra caridad del padre Almida. Protestan, como ante un restaurante, como si fuesen a pagar. Se pretenden clientes de respeto, y él su mesero, el acomodador. «Me quejaré con su dueño», le gritan, «Hemos venido de lejos», «Quiero mi sopa, se hace tarde», «Estoy enfermo», «Tengo hambre», «Abran, abran, me voy a morir», «Abran ya, que ya estoy muerto», y se mueren, en efecto: ya murieron once viejos en los tres años que se llevan ofreciendo los Almuerzos de Piedad del padre Almida: se han muerto en la fila, o mientras almuerzan, y su miedo terrible de ser un animal se reduplica: debe llamar por teléfono a sitios donde nunca contestan, médicos, policía, los institutos y fundaciones que ya están de acuerdo con el padre para colaborar en estos casos, beneméritos y benéficos personajes que si contestan se hacen los olvidadizos cuando más se los necesita: dicen: «Estamos en camino», «Nos haremos presentes de inmediato», «Un minuto», pero él debe esperar con el cadáver durante horas, en el mismo salón donde se sirven los almuerzos, el muerto y él igual de quietos, cada uno en su silla, los únicos comensales ante la mesa sucia de desperdicios, la fúnebre mesa donde los demás viejos, a pesar de que murió uno de ellos, no dudaron en seguir comiendo y todavía se chancearon a costa del difunto, se apoderaron de los restos de su comida, «A ti ya no te sirve», lo despojaron de un sombrero, una bufanda, un pañuelo, o los zapatos. Afortunadamente para él, no todos los jueves se muere un viejo. Y eso no quiere decir que no tema convertirse en animal. Lo teme siempre, tiene ese miedo horrible, y sobre todo los jueves, cuando termina el almuerzo y debe desalojar: «El padre Almida los espera la próxima semana», les dice, y empieza la batalla. Un fragor de voces de desconsuelo sacude la mesa, los platos, los cubiertos. Son como niños estupefactos. Lo invocan como si él fuese un pariente, un recuerdo: lo llaman por nombres insólitos, nombres que luego él sueña y no puede creer que sean realmente esos nombres: *Ehich, Schekinah, Ajin, Haytfadik.* «Tú no serías capaz de echarme», dicen. Después las protestas. Lloriqueos. Clamores que ruegan, «No quiero irme de aquí, dónde me puedo esconder». Debe levantarlos de las sillas, todos remolones, la mayoría dormidos, sus estómagos repletos de sopa y carne de puerco desmenuzada: su comida se les prepara en papilla, no tienen dientes y mucho menos dentadura postiza y además comen lentísimo, adrede, como si no desearan acabar nunca. Sus almuerzos son eternos. Pero acaban, a su pesar, acaban, y él debe despertarlos a gritos, arrearlos como a ganado terco, incluso cargarlos en brazos y sacarlos en vilo del salón, espantarlos a palmadas y empellones de la iglesia. «Llamaremos al padre Almida», replican los más despiertos, «Nos quejaremos». Él los empuja, uno tras otro, tiene que ser un verdugo a la fuerza, las ancianas pretenden morderlo, se abrazan a su cuello, engarfian sus dedos en su pelo, piden que el

13

padre Almida se haga presente, que son sus abuelas, dicen, sus tías, sus mamás, sus conocidas, y se ofrecen como criadas para la iglesia, o cocineras o jardineras o modistas, algunas se meten debajo de la mesa y se agazapan y encrespan como fieras, amenazan con sus uñas, debe ponerse a gatas, buscarlas, perseguirlas, atraparlas, retirarlas, y no termina todavía su jornada porque si bien los más de los viejos aceptan que deben irse hasta el próximo jueves, siempre quedan diseminados por el salón dos o tres que se fingen muertos, agonizantes, y algunos lo han engañado, logran confundirlo a veces, lo convencen de su muerte, «Que ya nos morimos» dicen los más incautos, descubriéndose, «Yo ya estoy muerto, a mí no me molestes», pero otros siguen de piedra, extendidos en el frío lecho de ladrillo –que es un charco de sopa y arroz desparramados–, los ojos blancos, los miembros tiesos; él pone su oreja en sus pechos: no se les escucha el corazón, eso parece, por instantes, y se reviste de mañas para descubrirlos, invoca la paciencia de Job, les hace cosquillas, en las orejas sucias, en las pestañas, en las axilas que hieden y en la planta de los pies mil veces más malolientes, metiendo sus dedos por entre los viejos zapatos que rebosan de hormigas, húmedos de sudor, de cuero resquebrajado, de suelas perforadas por los años, zapatos de los que nunca se despojan, al igual que de las medias –si las tienen–, y cuando logra llegar a la piel siente que es resbalosa, un frío de hielo que eriza, y los rasca en la planta con fuerza, con prisa, y sólo si no hay respuesta los pellizca, y los pellizca más, y sigue pelliz-

14

cándolos, es la prueba final, de modo que ellos se quejan, sonríen, se ríen, suave al principio, con angustia, con grititos, con gritos, y después: «Déjame tranquilo, yo ya me morí», y luego insisten: «No me toques, soy un muerto, ya estoy muerto, ¿es que no lo ves?», y por último, iracundos: «Me mataste», y lo insultan: «Maldito jorobado comemierda», y es cuando la rabia espumajea en lo más hondo de su pecho y teme convertirse en animal y acabar a dentelladas con todos estos esqueletos de hombre y mujer que no se sabe si son niños o viejos, que no se sabe si son buenos o pérfidos, que no se sabe qué son, que almacenan por sí solos los más espantosos males del mundo, el padre Almida se lo repite: «Resígnate, Tancredo», y le dice que nada es peor que la vejez, nada más deplorable y digno de compasión, «es la última gran prueba de Dios», dice, y es cierto, pero tampoco nada más horrible que descubrir si sí o si no están muertos, y nada más terrible que su miedo de ser un animal, porque le toca a él descubrirlos, porque debe hacerse cargo él solo de sus almuerzos, de todos los almuerzos, pero sobre todo del almuerzo de los viejos, los cada vez más numerosos viejos, los insolentes viejos que se fingen muertos para ganar el cielo de la parroquia, y lo impacientan, lo trastornan, lo desalientan y pulverizan, porque lo peor ocurre cuando realmente un viejo ha muerto y ha debido someterlo −someterse, mejor− a esa loca prueba, absurda, ineludible, de cosquillas y pellizcos.

«Es tu cruz», le dice el padre, «y también tu redención. Resígnate, Tancredo».

Al fin los ve marchar por las calles en distintas direcciones, un ejército diezmado, cada uno con su carga, el talego en donde guardan las sobras, precavidos, y no sabe adónde irán, dónde dormirán esta noche y la otra, y dónde almorzarán mañana: «Acaso en otra iglesia», piensa, y se convence de eso para ignorar el remordimiento: los gritos y empujones con que los alejó de la parroquia, «otras manos los ayudarán», piensa, y cierra la puerta, pero en eso, en la otra puerta, opuesta, diminuta, que conduce al interior de la parroquia, y como si una mano invisible los hubiese acomodado allí, intempestivos, lo esperan los cepillos y la escoba, los tres baldes con agua, las toallas, el jabón desinfectante, el trabajo sin fin: deben resultar pulcros el piso y las paredes; espléndidos los vidrios de la única ventana; fulgir los crucifijos que ornan las paredes; tiene que deslumbrar, absolutamente despercudida, la vasta mesa de cedro, rectangular, humilde, como de Última Cena; y deben quedar, convenientemente inmaculadas y dispuestas, las sillas para el día siguiente, las noventa y nueve sillas exactas en formación precisa, porque mañana es Viernes de Familia, el único almuerzo al que asiste el padre, y que preside en compañía de quienes con él viven: las tres Lilias, el sacristán Machado, su ahijada Sabina Cruz, y él, acólito, él, Tancredo, él, el jorobado.

Qué otro, qué otro.

Tancredo aparta de la ventana su mirada examinándose: un desamparo.

16

Por lo general son las cinco de la tarde cuando da fin al aseo, y sólo entonces aparece una de las Lilias en la puerta diminuta; lleva la bandeja de plomo, con su almuerzo. Y almuerza solo, revuelto del sudor de la limpieza, oliendo a trapo, a desinfectante, doblada la cabeza sobre el plato, a veces casi que con miedo. Miedo, porque tarde o temprano levanta la cabeza y le parece que sigue acompañado de todos esos rostros con sus bocas desdentadas y babeantes que se abren cada vez más grandes y lo tragan, brazo por brazo, pierna por pierna, se sorben de un golpe su cabeza, y no sólo lo engullen con las bocas: lo engullen con los ojos, esos ojos, ojos muertos. Da un puñetazo a la mesa, y tampoco desaparecen. «Yo soy los almuerzos», piensa con un grito, «yo soy el almuerzo, yo sigo siendo su almuerzo», y en un clamoreo como de viejos huyendo por las calles Tancredo da un último estertor, es tu cruz, le dice el padre, es tu cruz. Cierra los ojos, y ve más ojos, esos ojos. Entonces tiene un miedo terrible de ser un animal, pero un animal a solas, un animal consigo mismo, devorándose.

Este jueves, sin embargo, la presencia de otra de las Lilias lo salva de su miedo. Es curioso: no ha acabado todavía con su almuerzo y la Lilia aparece en el dintel, su vieja voz repleta de ecos que susurran, húmedos, urgentes: «El padre Almida lo necesita. Está en el gabinete». Es la más pequeña de las Lilias: temblando de frío en mitad de la puerta se limpia las manos en el delantal y suspira con fuerza. Todo lo que tenga que ver con el padre la emociona, incluso la hace trastabillar; es solícita hasta el paroxismo; sus ojos brillan como de espanto; detrás de su pequeña figura encorvada Tancredo ve parte del jardín de la parroquia, los sauces, la gran fuente de piedra, circular, amarilla, la tarde de un violeta oscureciéndose. «Váyase ahorita, que yo le guardo su almuerzo», dice, embozada en su chal negro, y avanza hacia la bandeja, los brazos extendidos, «yo se lo caliento después. Lo tendrá en su cuarto».

Es curioso porque nunca, en tres años de Almuerzos, el padre Almida ordenó que interrumpieran el almuerzo de Tancredo, su sobremesa, su descanso. Sus órdenes, respecto a esto, fueron terminantes: «A Tancredo no deben molestarlo cuando almuerce». Incluso un martes de ciegos se disgustó con las tres Lilias porque rogaron a Tancredo, apenas hubo terminado su jornada, que las ayudara en la cocina: querían cambiar de sitio la nevera, querían deshollinar la estufa de carbón, querían correr las cuatro estufas eléctricas con el fin de barrer detrás y, de paso, extinguir una madriguera de ratones a la que ninguno de los seis gatos de la parroquia lograba acceder. «Tancredo puede ayudarlas con eso en la mañana», les dijo el padre, «cualquier mañana, pero no después de los almuerzos. Tiene que almorzar él, tiene que descansar y luego cumplir con las horas de estudio, antes de su reposo». Y todavía les dijo: «No cuenten con Tancredo para nada después de los almuerzos, excepto si él y yo acordamos algo distinto».

No volvieron jamás las tres Lilias a pedirle ayuda en sus oficios, salvo los que él ya compartía con ellas desde niño: acompañarlas cada sábado al mercado, cargar con las compras, distribuirlas en la despensa, revisar el funcionamiento de las estufas, reparar cualquier desperfecto eléctrico, clavar o desclavar un clavo, menesteres domésticos nada absorbentes. Su actividad, los últimos tres años, desde que terminó el bachillerato nocturno, se ajustaba exclusivamente alrededor de los Almuerzos, además de sus estudios privados, dirigidos y vigilados por el mismo padre Almida: la lectura comentada de la Biblia, un ejemplo, o el aprendizaje del latín, otro ejemplo.

Pero los estudios tendrán que esperar, supone, así como la ducha y su cambio de ropa. Tendrá que ir al gabinete —especie de oficina, despacho donde el padre atiende sus asuntos terrenales, y en donde ahora lo espera, quiere verlo, «me necesita», piensa, como dijo la más pequeña de las Lilias, con urgencia.

El reverendo padre Juan Pablo Almida no se encontraba solo. Sentado a la mesa oblonga lo acompañaba el sacristán. De una palidez de sábana, el sacristán Celeste Machado contempló al jorobado, estupefacto, como si recién lo acabara de conocer. Era el sacristán un hombre oscuro; una sombra como las Lilias, y no sólo porque vestía de negro sino por su absoluta reserva, un círculo negro, un pozo. Relativamente sordo, además, deambulaba igual que otra sombra por la parroquia, y se aparecía como las paredes. Mudo y oscuro. Pétreo. Su íntima tiniebla congelaba. Porque sus ojos y su gesto daban gritos de odio y asco, una repugnancia secreta que parecía exacerbarse con la proximidad de las Lilias, que le rehuían, o la presencia de Tancredo, que lo ignoraba. Charlaba –o resonaba su dura voz– solamente con el padre o con Sabina, su ahijada, y estrictamente lo necesario.

Juan Pablo Almida, pletórico, exhalando fuerza y salud por todos los poros, a sus sesenta años –que parecían cincuenta– encabezaba la mesa y la conversación. Acababa de decir algo que su jorobado acólito no pudo entender pero que –intuyó– se refería a él: hablaban de él. Y el sacristán no dejaba de examinarlo como si enfrentara una deplorable alucinación. ¿A qué tanta sorpresa? –pensó Tancredo–, Iglesia que se respete ostenta su jorobado, y ellos debían entenderlo mejor que nadie. O les asombraba el enorme tamaño de su cabeza, la sabiduría en sus ojos –como dijo alguna vez el padre Almida describiéndolo–, su estatura demasiado elevada para un jorobado, la extraordinaria musculatura que Dios le entregó sin que él se la pidiera. Encogió los hombros, resignado, y optó por dejar que lo admiraran a su entera satisfacción unos segundos. Almida y el sacristán bebían de ese licor de avellanas con que la parroquia agasaja a sus más especiales convidados, o a sus visitantes más inesperados. El padre Almida le indicó una silla a su diestra. Al sentarse pudo percibir la corriente de calor de Sabina Cruz, al fondo del gabinete, agazapada ante el escritorio negro, golpeando discretamente la máquina de escribir. Llevaba puesta en su cabeza la pañoleta azul; ni siquiera volteó a mirarlo.

–Llegó mi brazo derecho –dijo el padre Almida, sin quitar los ojos de Tancredo. El sacristán inclinó brevemente la cabeza. Hacía pantalla con la mano en una oreja, para no perder palabra, su gesto característico, que lo obligaba a ladear el rostro y estirar el cuello y, por esa causa, mirar al interlocutor con el rabillo del ojo, como si lo espiara.

Almida fue al grano; explicó al jorobado que nuestro sacristán aquí presente se interesaba sobremanera por conocer más detalles en torno a los Almuerzos de Piedad. Ésas fueron sus palabras: *se interesaba sobremanera.*

–Tancredo –le dijo en confianza–: hoy hubo almuerzo de ancianos, ¿no es cierto? ¿Qué tal la asistencia, acudieron?

–Sólo tres sillas vacías, padre.

–Y hay noventa y nueve sillas. –Almida dio un sorbo a su copa, visiblemente satisfecho.

El sacristán asintió con aprobación. Puso en el jorobado los ojos claros, inmensos, aguados. Su boca esbozaba una sonrisa de incredulidad.

–¿Es siempre así, la asistencia? –preguntó.

Sus ojos escudriñaron a Tancredo. No solamente lo examinaban a él, sino los alrededores de su respuesta. Hubo un silencio de incertidumbre. El interrogatorio que comenzaba no dejó de sorprender a Tancredo, por lo intempestivo. Además, se sentía agotado, deshecho:

después de los viejos gateando por el salón, encima y debajo de la mesa, bañados en sopa, inmersos en mugre y saliva, igual que una orgía romana, o un aquelarre, tener que enfrentar la inquisición del sacristán lo sublevaba. Y experimentó de nuevo el miedo terrible de ser un animal, o las ganas de serlo, lo que era peor. Se imaginó estrellando aquella mesa contra el techo; pateando las sillas de los dos representantes de la iglesia; volcando a sus ocupantes; orinándose encima de sus cabezas consagradas; yéndose en pos de Sabina: levantando su falda plomiza de beata, desgarrando la aparente pureza de su blusa cerrada hasta el cuello, manoteando sus pechos, pellizcando su ombligo, sus muslos, su trasero. De verdad, pensó horrorizado, necesitaba confesarse con el padre sobre su miedo terrible de ser un animal, y cuanto antes. Debía revelar su tempestad recóndita, o se asfixiaría. Sus manos sudaban, sus rodillas golpeaban debajo de la mesa.

Pero el padre Juan Pablo Almida lo alentó:

—Explícanos tus experiencias, Tancredo, tus conclusiones. Hemos hablado todo este tiempo de los Almuerzos de Piedad. Aguardábamos que te desocuparas.

El jorobado se volvió al sacristán:

—Eso depende —dijo con relativo esfuerzo—. Hay días que la asistencia es reducida. Quiero decir, varía. No ha sido lo mismo este año que el anterior. A usted le consta, me parece.

Con eso daba una interpretación global a la pregunta. El sacristán no quedó muy satisfecho.

—Haga de cuenta que no estoy enterado –dijo–. ¿Varía según el día?

—Así es –no pudo menos que aceptar.

—Según el día, sobre todo. –La voz del padre Almida, su aparente sosiego, lo decidieron a redondear de una vez la información.

—Sí –dijo–. En el caso de los ancianos la asistencia es casi que total. No así con los gamines. Disminuye. La última vez diecinueve. Se quejan de que aquí la policía los vigila, y en cierto modo tienen razón... La semana pasada capturaron a dos, que a lo mejor tenían cuentas pendientes. Ni siquiera les permitieron terminar con su almuerzo...

El padre y el sacristán intercambiaron una solemne mirada.

—Eso los disuade de acudir –dijo Tancredo. Y no quiso añadir más, esperanzado en que lo liberaran de la conversación. Ir al estudio, estar solo, lejos del miedo terrible de ser un animal. No ocurrió así.

—¿Qué edades, los gamines? –preguntó el sacristán.

—Todas –repuso el jorobado con negligencia. Y luego–: Bien, desde los cuatro hasta los quince.

—Cuatro años –se asombró el sacristán. Levantó la cabeza y contempló el techo, como si orara. Sólo después de un minuto, tiempo casi que celestial, se espabiló. Parpadearon sus ojos azules. Su voz se preocupó–: ¿Y la asistencia de los ciegos?

Tancredo hubiese querido responder: *Igual que la asistencia de los ángeles,* pero se contuvo a tiempo. Y calló, unos segundos. Pensaba en los ciegos, que son los más bellos comensales, o por lo menos los más sosegados, los más pensativos, y que siempre estaban de acuerdo –con él y entre ellos–. Nunca chistaban por el menú, a diferencia de los gamines, y aceptaban el fin del almuerzo con la debida resignación, sin protestar. La impaciencia del padre Almida, que tamborileaba en la mesa con todos sus dedos, lo acicateó:

–En cuanto a los ciegos –dijo–, es estable: treinta o cuarenta cada martes.

El silencio expectante de los oyentes lo convenció de seguir.

–Las prostitutas disminuyen –dijo–. Seis el último lunes.

Hubo otro silencio. La curiosidad del padre Almida se desvió de los Almuerzos.

–Le recordaba a Celeste que eres bachiller –dijo.

–Así es, padre.

–La parroquia espera pagar sus estudios de filosofía y teología próximamente –dijo Almida, sin mirar a nadie. Había dicho lo mismo en los tres años que llevaban ofreciéndose los Almuerzos de Piedad. Y ya tenía sin cuidado al jorobado adelantar o no cursos universitarios, pero sí lo irritaba, y no lograba aplacarse, que Almida convocara la esperanza de estudiar filosofía y teología a la menor oportunidad, enfrente de Celeste Machado.

–Tancredo –preguntó Almida con notoria presunción–, ¿qué libro estamos leyendo?

Se sintió como una fiera adiestrada, en exposición.

–Las Confesiones, de Agustín –dijo.

—Querrá decir san Agustín —lo corrigió de inmediato el sacristán. Y añadió, bebiendo un sorbito de licor—: No debemos ignorar la santidad en un doctor de la Iglesia. Santidad insoslayable, trascendente, que lo hace muy mucho más grande.

—Es cierto —debió conceder Tancredo—. San Agustín.

—Doy a entender, simplemente —se replegó el padre Almida—, que Tancredo no descuida para nada sus estudios, aunque eso no lo corroboren oficialmente las universidades.

De nuevo el sacristán bosquejó una reverencia, en esta ocasión algo forzosa y displicente. Juan Pablo Almida desconcertaba al jorobado. Debía guardar un oculto propósito al insistir en su formación:

—Si ustedes convienen podemos hablar en latín —dijo.

El sacristán enarcó las cejas, y sonrió.

—No será necesario —dijo.

Lo dijo no se supo si por proteger al jorobado de semejante prueba. En cuanto a Tancredo, estaba dispuesto, cuando quisieran. No eran vanas las largas horas de estudio, detrás de una mesa árida, sin otra vida para vivir.

—Podemos hacerlo —insistió el padre Almida.

«Por supuesto que podemos», pensó el jorobado, «explicaremos la existencia de Dios en diez puntos». Y luego: «O en diez patadas».

—Claro que sí —dijo el sacristán—. Eso no lo dudamos, padre, si usted lo dice.

Seguía mirando al jorobado con atención.

–Y el tiempo corre –pareció disculparse Almida. Miró el reloj en la pared–. Son tantas las ocupaciones –dijo.

–La misa de siete –dijo el sacristán.

–Hay tiempo. –El padre Almida consultaba también el reloj–. Hay tiempo.

Eran casi las seis de la tarde, y crecía la oscuridad. También desde el gabinete podía mirarse parte del jardín. Las ramas de un sauce se despedían, como manos. Un gato se entreocultaba en la fuente de piedra. El viento, suave y frío, avanzaba a pedazos por las paredes.

Igual que el salón de los Almuerzos y que el gabinete, la sacristía, adjunta a un pasillo que conducía al interior de la iglesia, estaba ubicada en el primer piso, a un lado del jardín. Detrás del jardín, siguiendo un senderito cruzado por un muro de adobe, se llegaba al patio trasero: allí quedaban la cocina, el cuarto de planchar, el lavadero, el baño común, el aposento de las tres Lilias y el propio aposento del jorobado, aparte del garaje, donde permanecía estacionado el viejo volkswagen del padre. Los aposentos del padre, del sacristán Machado y su ahijada Sabina Cruz –cada uno con su baño independiente– quedaban en el segundo piso de la parroquia, asomados al jardín; desde el jardín podían verse sus anchas puertas de roble, en el pasillo adornado con flores y helechos, así como el saloncito de estudio –donde además de los libros se había improvisado el altar de un pequeño televisor en blanco y negro que sólo se encendía a la hora del no-

26

ticiero, o cuando se transmitían las festividades religiosas y los mensajes del Papa en vivo.

Unas profundas escaleras, de piedra, cubiertas de enredaderas, conducían desde el jardín al segundo piso de la parroquia.

La iglesia –sus tres naves, su torre con campanario, su capilla dedicada a santa Gertrudis, con oratorio y confesonario, su atrio espacioso y el rosetón violeta, en forma de cruz, que lo presidía, su emplazamiento para el coro y su deambulatorio– ocupaba un sesenta por ciento de la parroquia. Con todo, la edificación habitable era amplia, y el inmenso salón que fue de juegos –con seis mesas de ping pong– y que después se usó para las presentaciones teatrales de los Jóvenes Cristianos, los juegos, rifas, colectas y bazares organizados por las ancianas señoras de la Asociación Cívica del barrio, y las charlas entre el clero y los feligreses, finalmente se destinó para comedor de los Almuerzos de Piedad. Ésa fue la desgracia de Tancredo, o su destino final: terminado el bachillerato ya no pudo soñar en la universidad.

Se oía el canto de un pájaro, que penetraba como un bálsamo, abarcándolos. La delgada mano de Sabina Cruz, mientras tanto, escanciaba más licor de avellanas en las copas de reborde dorado. A Tancredo también le sirvió, sin un saludo, sin una mirada. Esta vez dejó la garrafa en la mesa.

–Licor de avellanas –leyó el padre Almida en la etiqueta. Algo, una ligera ironía, pareció inmiscuirse en su acento.

–Exquisito –dijo el sacristán, bebiendo de nuevo–. Es dulce, y conforta. Gracias, muchas gracias.

Ahora sus ojos claros contemplaron rápidamente la cara pálida y redonda de Sabina Cruz, su ahijada, mucho más pálida que la suya: una cara pecosa, inmutable; ningún gesto, ninguna emoción la vivificaba.

–Es dulce –concedió el padre Almida, todavía examinando la etiqueta–, pero lleva veinticinco grados de alcohol: el doble de una botella de vino.

Sólo Dios sabe –pensó el jorobado– qué escondido propósito guardaban esos dos representantes de la Iglesia, qué recónditos propósitos para llamarlo a indagar sobre los almuerzos. Un gato los contemplaba atento, desde lo más alto de la estantería. Todos, en el gabinete, parecían esperar a que la ahijada del sacristán terminara de renovar las copas.

Sin ser albina, el pelo y el cutis de Sabina Cruz daban esa impresión. Su piel era tan blanca que parecía rosada y su pelo de un rubio cenizo, platino, proyectaba alrededor una especie de opaco resplandor, la luz de una agónica llama. Menuda y frágil –en apariencia–, doblada la cerviz, era todavía más joven que Tancredo, pero no demoraría en parecerse a cualquiera de las Lilias. Con esa pañoleta azul en la cabeza, era una monja sin hábito. Aguardaron a verla sentada detrás del lejano escritorio para reanudar la charla. De cualquier modo, resultaba inútil pretender que la ahijada del sacristán no participara de la charla, por lo menos como testigo.

–Entonces –siguió el sacristán, y ahora sus ojos horadaban al jorobado con su ironía–, imparte usted la Palabra de Dios a las ovejas descarriadas, mediante los Almuerzos.

Lo dijo como si no diera crédito: un jorobado al servicio de Dios.

–¿Descarriadas? –se asombró Tancredo. Y su asombro era sincero. La expectativa de los oyentes lo obligó a explicarse–: Yo diría que a las ovejas que tienen hambre –dijo.

Se arrepintió de semejantes palabras, con las que tampoco comulgaba a plenitud. Además, el sacristán enrojeció al instante. Pero se sobrepuso:

–De eso se trata –replicó–. No podemos limitar los almuerzos a eso: almuerzos, únicamente almuerzos. –Y luego, abriendo sus manos largas y huesudas, agitándolas–: Nada más que almuerzos. Almuerzos y almuerzos.

También él debía sentir sus miedos, pensó Tancredo. Porque parecía reventar: sus dientes rechinaron un segundo. Sus ojos se iluminaron como a punto de llorar. Oraba en silencio, o pedía ayuda. Y, sin embargo, era como si Almida ignorara su deplorable estado. O fingiera ignorarlo. El sacristán sacó fuerzas del aire, del frío que entraba a raudales desde el jardín:

–Cualquier reunión con el pueblo de Dios –dijo, como impartiendo a Tancredo una lección definitiva, la primera de muchas lecciones– tiene que ser aprovechada en todas sus posibilidades.

«Ya te veré», pensó el jorobado.

–Celeste Machado quiere colaborar con los almuerzos –interrumpió Almida, confirmando una noticia que Tancredo vislumbraba.

–Por ejemplo –siguió el sacristán, exaltado–, cuéntenos qué resultados hubo hoy, con los ancianos. Cómo se presentaron sus inquietudes. Qué les dijo usted, qué respondieron.

–Casi no hablamos –dijo Tancredo–. Hablar con los viejos es imposible. Verá, ellos sólo quieren comer, y luego dormir, quedarse a vivir en el comedor hasta el próximo jueves. Están agotados. Son viejos. No creen.

–No creen –se rebeló el sacristán, exasperado–, ha dicho que no creen, por Dios..., ¿oyó usted, padre Almida?

No logró pronunciar más palabra.

–Sí creen, sí creen. Tengamos esa convicción. Nada es imposible para quienes repartimos el otro pan, el Pan de Dios, Su Esperanza. –Había hablado el padre Almida. El sacristán quiso reanudar su interrogatorio, pero Almida se adelantó, interrumpiéndole–: Usted escuche –le dijo–, escuche a Tancredo. Lleva tres años en esto. Juntos podrán reunir fuerzas y conclusiones.

–Estoy hablando de hombres y mujeres seniles –dijo el acólito, acicateado–. Sin hogar, sin descanso. Gentes que deambulan por cada costado de Bogotá, durante el día. Que duermen en los zaguanes de los edificios. No quieren oír los mensajes del padre Almida, mensajes que, sin embargo, yo puntualmente les leo. Quieren, sencillamente, almorzar. Y dormir. No atienden a nadie. Sólo buscan sus platos.

Se había excedido, seguramente. El padre Almida tosió varias veces; parecía víctima de la asfixia:

–Ojalá –dijo por fin con mucho esfuerzo– pudiéramos fundar un ancianato, y un restaurante eterno, para todos. Pero algo es algo. Es nuestro granito de arena. Ustedes son mis grandes colaboradores. –Señaló a Sabina, a Tancredo. Sus ojos consultaron el reloj, con fugacidad. Suspiró–. Las charlas son muy fructíferas, gracias a Dios. Tancredo tiene alguna razón respecto a los ancianos: la enfermedad los aqueja, son caprichosos. No ocurre igual con los ciegos, con los gamines... Pero, después de todo, también los ancianos escuchan, y creen. Creen, Tancredo, ellos creen. Creen. La proximidad de la muerte es un categórico aliciente para creer. Cada Almuerzo tiene su espíritu, su hora, su comensal, y el sacrificio es distinto. Una cosa ocurre con la mujer, el lunes, y otra con la mujer el viernes; el lunes es la mujer desamparada, en la calle, obligada a sucumbir por necesidad, estandarte de inmoralidad por la fuerza; el viernes la madre que trabaja, la hija, la hermana, en todo caso la mujer en su verdadera dignidad, el más bello símbolo de la familia.

Sobrevino un silencio incómodo, intransitable. Los tres voltearon las cabezas hacia Sabina Cruz, como si ella, mujer al fin, fuese la causa indirecta de ese momento, su duda, su sensación.

–Quién eligió los días –preguntó por fin el sacristán, y no dirigió a nadie su pregunta. Su voz se oscureció más–: Eso es algo que siempre me ha intrigado. Por qué, por ejemplo, el lunes se destina a las prostitutas.

–Nadie eligió los días –repuso Tancredo, saliéndole al paso. Tardíamente entendió que Almida se proponía responder, y que pretendía seguir respondiendo. Pero ya él se había anticipado–: Eso según la conveniencia de los comensales –dijo–, de sus... ocupaciones. El lunes es un día muerto para las prostitutas, que trabajan por lo general a partir del martes, hasta el sábado y el domingo.

–¿Trabajan? –Se oyó la voz amortiguada del sacristán. El jorobado desconoció su intervención:

–Según dijo una de ellas –prosiguió–, y con el perdón de Dios y de ustedes, si existe un lunes de zapatero también existe un lunes de putas.

Ahora Almida sí que parecía arrepentido de haberlo llamado a su presencia. Volvió a carraspear como si tragara una espina de pescado. El sacristán había abierto su boca, pero no habló. Desde algún sitio el gato maulló. El jorobado sonrió para sus adentros. Es raro –pensó, descubriéndose–: su miedo, su rabia, desaparecían en la medida en que incordiaba al sacristán. Por lo visto, algunas observaciones no eran muy del agrado de sus oyentes, y él parecía buscarlas, elegirlas y lanzarlas con relativo gozo. Su miedo, entonces, se transformaba; era un morboso placer. De nuevo incómodos, los dos oyentes se revolvieron en sus sillas.

–Trabajan, ha dicho usted trabajan –objetaba el sacristán, sin lograr añadir más.

Tancredo decidió ignorarlo. El sacristán alargó hacia él su rostro ahora enrojecido. Que las prostitutas trabajaran era algo inaceptable para él.

–¿Y por qué ha disminuido su asistencia? –preguntó, exasperado. Era obvio que achacaba la ausencia de las prostitutas a una posible negligencia del jorobado.

–Las prostitutas que acuden son las más viejas –informó Tancredo, no menos exasperado–. Son las que viven solas y trabajan a su antojo, según su suerte. Son las que pueden disponer de ellas mismas, usted me entiende, disponer de su tiempo. Son, en cierto modo, las prostitutas libres. Y si por casualidad un lunes las pilla sin su almuerzo, entonces acuden. Ya saben de los beneficios que brinda la parroquia. Almuerzan gratis, eso es todo.

Le pareció que Almida se sonreía subrepticio; se burlaba, acaso, de él, de su juventud, ¿o sentía sólo lástima? El sacristán trepidaba:

–¿Por qué no acuden las jóvenes?

–Están encerradas. Tienen... un dueño, su... cuidandero. Alguien que no las deja salir así como así, a una parroquia. No es fácil. Además, no les falta el almuerzo.

–Pero, cómo se enteran ellas de estos almuerzos –siguió interrogando el sacristán. Y ya, con su tono, irritaba al jorobado. El padre Almida se apresuró a contestar:

–Tancredo –dijo–, Tancredo es quien se encarga de repartir nuestras invitaciones de viva voz entre los indigentes de Bogotá, que por desgracia parecen ser casi todos los bogotanos. Usted lo sabe, Celeste. Gracias al esforzado y desinteresado trabajo de Tancredo podemos contar con la presencia de los gamines, los ciegos, los viejos...

–También en eso me gustaría acompañarlo –dijo por fin el sacristán–, si no hay inconveniente.

El padre Almida siguió respondiendo.

–Con el mayor de los gustos –dijo–. Su colaboración será decisiva.

–Sí –dijo el sacristán–. Es ahí donde radica el problema, la ausencia... quiero decir... a lo mejor –y enrojeció peor– es en las invitaciones donde se pierde el entusiasmo. Yo no veo que se esté sembrando la semilla; simplemente se la arroja en campo árido.

Sonó el teléfono encima del escritorio negro. Sabina alargó el brazo.

–Contestaremos en la sacristía –dijo Almida, incorporándose, y con eso daba fin a la conversación–. A partir del próximo lunes, Celeste y Tancredo se pondrán de acuerdo sobre sus respectivas actividades.

El teléfono volvió a sonar. Almida no se inmutó:

–Tancredo –dijo–. Ocurre algo importante: hoy no oficiaré misa. Celeste y yo tendremos que ausentarnos.

El teléfono sonó de nuevo. Durante un instante fugaz Almida y Machado examinaron glaciales al jorobado.

–Vendrá otro sacerdote en mi reemplazo –dijo Almida–. No creo que demore. Tendrán que colaborarle en todo lo posible. –Y salió a la sacristía. El gato lo siguió.

El sacristán se despidió del aire con una amplia sonrisa: sus ojos claros no se dirigieron a nadie: «Muy bien, el lunes», dijo, «seis de la mañana». Era obvio que el próximo lunes lo entusiasmaba –entrevió el jorobado–. Para el sacristán aquello significaba el inicio de una semana distinta: acaso ya se sentía en el lunes, ese lunes, su lunes: irradiando de expectativa salió presuroso detrás de Almida. Y Tancredo quedó solo en el gabinete, solo o en compañía de Sabina Cruz.

Porque se disponía a salir del gabinete cuando la voz casi inaudible de Sabina lo llamó por su nombre. Seguía ella detrás del escritorio negro, y no lo miraba. Sostenía en las manos una resma de papel blanco. Él se acercó. «Hay aquí unas circulares que habrá que repartir en el barrio», dijo Sabina. No eran circulares; no había nada escrito en esas hojas. Los nerviosos ojos de Sabina, de blancas pestañas de puntas doradas, buceaban en dirección a la puerta; confirmaban que estaban solos. Por primera vez lo miró a los ojos. Su voz tenía un matiz de reproche y resentimiento.

–Se habrá dado cuenta –dijo con un susurro– que hoy llevo puesta la pañoleta azul, ¿sí o no?

–Sí.

–El martes pasado también me la puse –dijo con gran esfuerzo–, y también el último domingo. ¿Es que no vio que tenía puesta la pañoleta azul?

–Sí –repuso Tancredo–, era azul.

Las manos blanquísimas de Sabina dejaron caer de golpe las hojas a un lado de la máquina de escribir.

–Entonces –preguntó velozmente–, ¿por qué no acudió ninguna de esas noches? ¿Acaso tampoco hoy piensa visitarme? Yo no le estoy rogando que me visite, yo se lo exijo, ¿me entiende? ¿Es que no se ha dado cuenta de eso?

Sufría, sus manos retorciéndose encima de las hojas. Ambos vigilaban de vez en cuando la puerta, temiendo la entrada del padre Almida, del sacristán Machado.

–Sabina –repuso Tancredo con otro susurro–, el domingo subí a verla, y me encontré con Almida, en el cuarto de estudio.

–¿Qué horas eran?

Le pareció que Sabina lo interrogaba igual que el sacristán.

–Era tarde –dijo con un suspiro–. Las tres de la mañana. Me sorprendió encontrar al padre a esa hora, despierto. También a él lo extrañó verme. Le dije que iba en busca de un libro, y... resultamos embelleciendo nuestro latín hasta la madrugada.

–¿Y el martes?

–El martes ya estaba a punto... y oí ruidos en la habitación de Machado. Tenía que estar despierto.

–¿A qué horas? ¿También a las tres de la mañana?

–También.

–¿Y qué importa que Machado esté despierto? –La voz de Sabina subía de tono, involuntariamente–: Ambos sabemos que ese maldito es más sordo que las piedras.

–Es sordo, Sabina, pero no más que las piedras. Y no sólo es sordo, es su padrino, y no sólo su padrino sino su vecino de habitación...

–¿Sí? –lo interrumpió Sabina. Su voz enronqueció–: ¿También yo tengo cuidandero, como las putas?

–Por Dios, Sabina. Sólo digo que en cualquier momento puede oírnos.

–Claro que no. –El rostro de Sabina se deshizo en un gesto de desdén, sus dedos arrugaban y desordenaban las hojas. Su furia se desbordaba, pero también su miedo. Seguía mirándolo a él y la puerta, alternativamente–. Por eso yo pongo el colchón en el piso –dijo–, para que no haga ruido. Es la cama la que suena, pero nosotros no usamos la cama. Sólo el colchón. No nos preocupemos, Dios mío. Nunca nos preocupemos.

Se detuvo, asustada de sus propias palabras. Era una niña explicando las conveniencias de un juego. Usaba su pañoleta azul para indicar en silencio que esa noche quería ser visitada. Tragaba aire.

–Quiero que venga hoy –dijo finalmente como una orden–. Hoy mismo, ¿sí? –Su voz terminó por quebrarse. Y añadió, dócilmente, ahora como un ruego–: Tancredo, suba esta noche, se lo suplico, por Dios, lo necesito. –Sus dedos temblorosos rozaban los dedos del jorobado. Sus ojos amarillos lo miraban a los ojos, directamente. Se había medio incorporado para decirle eso con un murmullo, los rostros muy próximos. Si en ese momento hubiese entrado Almida o Machado, pensó el jorobado, sería difícil explicar aquella cercanía, semejante a la inminencia de un beso.

–No –dijo–, no voy a ir.

–Por qué –estalló Sabina Cruz, y volvió a caer derrotada en la silla. Pero sus manos ya no soltaban las manos del jorobado, que seguía de pie, de espaldas a la puerta, cubriendo con su cuerpo aquel enlazamiento de manos, por si alguien entraba. La noche se instauró en el jardín. Ahora la boca blanca de Sabina se atrevía a lo peor: de manera descarada besaba las manos de Tancredo. Por primera vez el jorobado se sobrecogió de fastidio (por primera vez, con Sabina) como si todavía lo rozara la piel fría y resbalosa de los ancianos–. Tiene que venir hoy –le dijo ella.

–No, Sabina.

–Por qué, si yo se lo suplico. Olvídese de la orden. Es una súplica.

–No voy a ir, no quiero ir.

La boca de Sabina se abrió. Era como un grito mudo. Sus manos se desataron. Tancredo cerró los ojos.

–No volveré a ir –dijo.

La entrada de una de las Lilias los interrumpió. Traía una jarra de café y una bandeja con pocillos que empezó a distribuir con demasiada lentitud en la mesa oblonga. Sabina Cruz se mordía los labios. Tancredo celebró, por dentro, la llegada de la vieja, que lo eximía de aquella charla absurda, peligrosa.

–El padre Almida y mi padrino se encuentran en la sacristía –dijo Sabina a la vieja.

–Ya sé –repuso ésta, y siguió disponiendo los pocillos, las cucharillas, el azúcar.

–Lléveles su café a la sacristía –se impacientó Sabina.

–Tomarán el café aquí –respondió la vieja–, con ustedes, antes de irse. –Ahora recogía las copas de reborde dorado que habían quedado casi intactas después de la última ronda–. Parece que no les gustó el licor de avellanas –dijo, y se volvió sonriendo hacia ellos–: Es un desperdicio, a los gatos no les provoca el licor de avellanas. Tendremos que guardarlo para los Almuerzos del lunes. A ellas sí les gusta.

–¿A ellas? –preguntó Sabina, y se rebeló, escandalizada–: El padre no permite que se sirva licor en los Almuerzos.

–Si esto es licor de santos –se excusó la vieja–, no daña a un niño. Claro que es dulce como un veneno, pero siempre será mejor ofrecerlo que desperdiciarlo.

Para nadie era un secreto que las sobras de cada comida se destinaban a los Almuerzos de Piedad, incluso las sobras que desdeñaban los gatos de la parroquia, los seis gatos gordos y satisfechos, apáticos. Sabina esperó a que la vieja abandonara el gabinete, inútilmente, porque seguía allí, sonriéndoles, con la bandeja como un escudo. Las manos de Sabina se anudaban y desanudaban, desesperadas.

–Esta noche –anunció la vieja–, esta misma noche, por primera vez en todos los años que yo vivo con él, el reverendo Juan Pablo Almida no ofrecerá misa.

–Ya lo sabemos –dijo Sabina.

En efecto, nunca Almida había faltado a su deber en la parroquia. Incluso enfermo se le oyó ofrecer la Sagrada Eucaristía, siguiendo un horario estricto. Tancredo se volvió a Sabina Cruz; deseaba interrogarla sobre los acontecimientos. Pero Sabina parecía no comprender nada. Su mente se destinaba únicamente a su ruego, su invitación a subir a su cuarto esa noche, como tantas noches. Sólo a eso –pensó Tancredo– Sabina destinaba su razón. Su entendimiento –pensó– era como su cuerpo: *Carne*. Entonces oyeron las voces del padre y el sacristán, en el corredor del jardín; venían desde la sacristía, pero se detuvieron unos momentos para ultimar detalles que acaso no deberían resolverse en el interior del gabinete, con ellos como testigos. Sabina mostró la angustia en los ojos, y, sin embargo, sus palabras se oyeron frías, terminantes. Quería hablar cuanto antes, o la inminente llegada de su padrino iba a impedírselo. No le importó la cercanía de la vieja, aunque de todos modos habló con doble sentido:

–Tancredo –dijo–, si usted no sube a recoger las circulares esta noche, bajaré a entregárselas yo misma, en su cuarto.

Un terrible desliz, pensó el jorobado, decir eso en presencia de la vieja. Y decírselo así, como una apasionada amenaza. Revelar que era posible que él subiera en la noche por unas simples circulares, o que ella bajara a su cuarto a entregárselas –en su cuarto, en la noche–, cuando lo único normal era que esas diligencias se resolvieran en el gabinete del padre, o a lo sumo en el saloncito de estudio, y de día, por Dios: de día. Sabina Cruz se había trastornado.

–Yo vendré por las circulares –dijo Tancredo–, aquí mismo, en el gabinete.

Sabina enrojeció, tardíamente arrepentida. Se mordía los labios hasta la sangre, pero las voces del padre y el sacristán la contuvieron de rebelarse contra la intromisión de la Lilia: fingió ocuparse de su trabajo, indiferente ante la vieja que seguía mirándolos y sonriendo, e incluso asentía sospechosamente con la cabeza. Para entonces las voces del sacristán y del padre reanudaban su camino hacia ellos, pero volvieron a detenerse, a pocos pasos de la puerta. No los veían. Ya la noche se había apoderado por completo del jardín. El frío escurría. Al tiempo que la vieja abandonaba por fin el gabinete –deslizándose como una sombra entre las sombras–, Tancredo pudo oír que la voz del padre mencionaba varias veces el nombre de don Justiniano. «Don Justiniano», decía, «don Justiniano sabrá creernos a nosotros». Y luego: «Justiniano, Justiniano». Y la voz del sacristán: «¿De quién me habla, padre?», y el padre: «Don Justiniano», y el sacristán: «Ah, un hombre íntegro». Y el padre: «Cierto. No nos preocupemos en balde». La sordera del sacristán obligaba a hablarle en voz más alta de lo normal, y Almida, a pesar de que creía hablar en secreto, daba voces. «Esto se despejará», decía, «Dios es todos los días». Y, como si invocara la lluvia, empezó a llover. Los dos máximos representantes de la parroquia entraron de inmediato, y se quedaron mirándolos como si no los reconocieran.

–Están aquí –dijo el padre–. Bien, a sentarse; vamos a tomar café, es el tiempo del café, el consagrado momento, agradezcamos a Dios.

–Como en familia, como en familia –los alentó el

sacristán, a su pesar, mientras tomaba asiento. A ninguna de las Lilias, y mucho menos a Tancredo, les destinó su palabra. Cumplía a cabalidad con los oficios que demandaba su sacristanía; era síndico, además, de la diócesis; asistía al padre en cada una de sus misas, era acólito y monaguillo a sus sesenta años: eximía gustoso a Tancredo de aquel especial oficio de niños, y, al finalizar el sacramento, pasaba él mismo recogiendo las limosnas de fila en fila, saludando con respetuosa inclinación de cabeza a los feligreses más viejos, los únicos que reconocía; se hacía cargo del inmaculado orden del altar, y negociaba los bautizos, las confirmaciones, las primeras comuniones, los matrimonios, las misas de gallo, las misas de cuerpo presente, todas las misas, excepto las misas cantadas, las solemnes, pues cuando murió don Paco Lucio, el organista, no volvió a permitir que nadie más tocara el órgano; el instrumento quedó sellado para siempre, así como la música. Eso, al padre, le daba igual; no así a Sabina, a las tres Lilias y al jorobado, que extrañaban la música, el cántico, la felpuda voz de bajo de don Lucio, los coros de monjas que en Semana Santa se incendiaban. Pero el sacristán era inmutable a la demanda de música, y así se congraciaba con su sordera: «Don Paco sigue presente en cada misa», decía, «y su canto se oye eternamente». Tancredo nunca intentó razonar con él: desde que recuerde, el sacristán Celeste Machado lo odia.

–Tancredo –dijo el padre Almida, mientras vertía un poco de licor de avellanas en su café–, ¿es que has perdido el juicio? –Sus ojos parpadearon rápidamente. Se sosegó, de semblante: su voz siguió reconviniendo–: ¿Qué sucede contigo? ¿Qué es eso de que los viejos no creen, y no oyen los mensajes que yo escribo? ¿Quién eres tú para afirmar eso? ¿Tienes dones telepáticos? ¿Te has metido en sus cabezas? ¿Qué sabes tú? Si yo los he confesado, por Dios, Tancredo, por Dios. –Bebió un sorbo de café. Resopló. Ahora sonrió sin evitarlo–: Además –dijo evocador–, las cosas importantes que debas decir tienes que decirlas en latín. ¿Para qué, entonces, hemos aprendido latín? De otro modo no vamos a creerte nunca. –Y se pasó una mano por el rostro, visiblemente preocupado–: Bueno –suspiró–, de eso hablaremos mañana. Me parece que necesitamos confesarte, ¿no? Pero hoy tendrás que ser acólito en la misa. Escúchame: el padre Fitzgerald no tardará. Oficiará él, y tú vas a acompañarle. Sólo por hoy.

El sacristán vigilaba muy atento estas palabras; ponía su oreja derecha en dirección a Almida; incluso hacía pantalla con una de sus manos, rugosa, temblequeante:

–Al orgullo de ser acólito no podrá negarse nunca –dijo, sin dirigirse a Tancredo, por supuesto. Y lo dijo con rabia, una rabia espesa, difícilmente contenida.

–No se ha negado –dijo el padre.

Sabina se incorporó y sirvió más café en la taza de Machado. Su mano se emocionaba. Tancredo pensó por un momento que iba a derramar el café. De seguro acababa de comprender que realmente Almida y Machado se ausentarían de la parroquia, quién sabe hasta qué horas, y que ella y él quedarían solos, después de la misa, porque él serviría de acólito, oficio que no practicaba desde hacía mucho −la última vez un Domingo de Pascua, cuando cumplía quince años−. Sabina y él, entonces, terminarían solos en la parroquia, por primera vez en mucho tiempo, y eso la conmocionaba. Ruborizada, insensatamente plácida, la vio acabar de servir más café en todas las tazas y regresar de inmediato a su silla, como de un salto alado: parecía reír en silencio.

−No tengo ningún inconveniente −dijo Tancredo, ignorando a su vez al sacristán−: Me acuerdo perfectamente de todos los pasos.

−Cómo olvidarlos −dijo el sacristán, siempre dirigiéndose al padre−. Ni que además de ser lo que es resultara idiota.

−Por favor, Celeste. −El padre apartó lejos de sí su taza−: También aquí, en el gabinete, sigue presente la casa de Dios; no sólo en el templo. Toda esta parroquia es casa de Dios, cada rincón, cada mueble. Todos somos iglesia. No podemos emplear palabras que menoscaben la presencia del Altísimo.

Esto lo dijo en voz baja, y, por supuesto, el sacristán no lo escuchó, no pudo oírlo. Así hablaba a veces el padre a su sacristán, con evidente deseo de no ser escuchado; como a propósito, para dar la razón a otros, pero sin desautorizar o burlar la palabra de Machado; lograba que éste no se enterara de su toma de partido. De modo que el sacristán volvió a beber muy tranquilo su renovada taza de café.

Tancredo había sido acólito y monaguillo desde los diez años. Se lo eximió de esa responsabilidad por mutuo acuerdo con el padre. El jorobado no lo resistía, y cree que tampoco los feligreses. Hacía de monaguillo a la fuerza, y se le antojaba patético el susto que su presencia producía en los niños –muchos lloraban al verlo–, la burla prudente en los hombres, el mesurado pero evidente fastidio en las ancianas señoras de la Asociación Cívica del Barrio. Describiéndose a sí mismo de monaguillo, podría emplear para eso únicamente una palabra: adefesio. Más que un jorobado, un adefesio, supone. «Soy, en una palabra, un adefesio. Lo que no impide que la ahijada del sacristán me bese las manos y ruegue que la visite en las noches. Así son los designios de Dios, una ironía, un imponderable acertijo, pero quién soy yo para cuestionarlos, no podría, y no quiero acordarme de monaguillo, otro de Sus designios, porque los miedos vuelven, y se acrecientan los odios, mis odios, sin destinatario resuelto.»

El sacristán se notaba realmente preocupado, igual que Almida. Algo los atormentaba. Afuera la lluvia arreció.

–También es mi casa –dijo de pronto Almida, como si reanudara en voz alta sus reflexiones. Nadie nunca lo había visto exasperado, y eso sorprendió a todos. Pues no sólo gritó esa frase, sino que la acompañó de una palmada en la mesa: la jarra de café se sacudió, repicaron los pocillos, retembló el licor de avellanas. El sacristán oyó el grito perfectamente–. Ésta es mi casa –siguió el padre–. No tienen qué reprocharme. Hago el bien como puedo; doy mis fuerzas a Dios, toda mi vida la he puesto a Su Servicio. ¿A qué venirme con semejantes sandeces? No podemos permitirnos perder los auxilios de don Justiniano. Le han llenado la cabeza de mentiras. Todo lo que él nos da se lo damos a los pobres. Nuestro corazón es la caridad. Si perdemos los auxilios perdemos los Almuerzos.

–La verdad prevalece siempre –dijo el sacristán.

–Son majaderos –replicó el padre–, y son sacerdotes, carne de nuestra carne, espíritu de nuestro espíritu, y son sin embargo emblema del mal. Quieren birlarnos los auxilios, Dios. No seremos nosotros quienes perdamos. Muchos hijos de Dios sufrirán. La envidia en los sacerdotes es tres veces más pecado. Que los perdone Dios, porque yo los maldigo.

El sacristán se dolió, no precisamente por las palabras del padre –que ya debía conocer– sino porque las dijera enfrente de Tancredo.

–Pronto llegará el padre Fitzgerald –dijo–. Lo demora el mal tiempo. Yo lo llamé desde la sacristía. Hablé con él personalmente. Podríamos salir ya. No puso ningún problema.

–Y cómo iba a ponerlo –repuso Almida con vehemencia– si yo lo he reemplazado mil y una veces. Es la primera vez que pido a un sacerdote que me reemplace en la misa. La primera vez en cuarenta años de sacerdocio. Cuarenta años –repitió, mirando el reloj en la pared. Faltaban veinte minutos para las siete–. Bien –dijo–, ya deben llegar mis feligreses. Que Dios los bendiga. No sabré irme de esta parroquia sin mi reemplazo.

–El padre Fitzgerald es muy puntual –intervino Machado.

Tancredo entendió que debía levantarse y acudir al altar, con el fin de disponer los sagrados utensilios. Los ojos del sacristán, además, se lo demandaban. Sentía que lo miraban sin mirarlo y le gritaban «A tu deber, necio»; entonces sonó el teléfono del gabinete. Sabina acudió a responder. Oyeron, estupefactos, que Sabina saludaba al padre Fitzgerald: lo que quería decir que ni siquiera estaba en camino. Pero oyeron enseguida que mencionaba al padre Ballesteros. Era de suponer que éste lo reemplazaría.

–Virgen –dijo Almida–, es inaudito. Don Justiniano sale en dos horas al aeropuerto. Tenemos el tiempo justo para ir a su casa y entrevistarnos con él. –Sabina colgó y Almida le ordenó que llamara a Ballesteros–: Si confirman que el padre Ballesteros viene en camino, nosotros saldremos de aquí, sólo si lo confirman, Sabina. Deberá usted exigir que nos garanticen que Ballesteros viene a esta parroquia, en mi reemplazo.

–Don Justiniano sabrá esperarnos –dijo Machado. Almida prefirió no mirarlo:

–Es un hombre de negocios –dijo–. Espero que su devoción por la parroquia le permita entender nuestra urgencia, nuestras explicaciones.

–Nos esperará todo el tiempo.

–Que Dios lo oiga –se impacientó el padre. Sus manos se reencontraron en el aire, se restregaron veloces. Tenía que hablar con don Justiniano antes del viaje. De esa cita y sus conclusiones dependían los principales auxilios de la parroquia.

Don Justiniano era el principal benefactor. Asistía invariablemente a primera misa los domingos, en compañía de su esposa y dos de sus hijas. Ni a Sabina ni a Tancredo les inspiraba la menor confianza. Algo oscuro, violento y enrevesado había detrás de ese hombrecillo rodeado de guardaespaldas al acecho. Era como una trampa humana, una inmensa telaraña en donde Almida y el sacristán podían encontrarse debatiendo como zancudos. Cada visita de don Justiniano era una maleta repleta de dinero, maletas que el reverendo Juan Pablo Almida y su sacristán Celeste Machado se cuidaban de ocultar en un lugar del segundo piso de la parroquia. En una ocasión don Justiniano aceptó almorzar con el padre, en el comedor de la parroquia, y almorzaron a solas, a puertas cerradas. Las tres Lilias se esmeraron: ajiaco, aguacates, postre de maracuyá, sobrebarriga, salpicón, pollo con frutas y almendras, arroz amarillo con perejil, postre de las Tres Leches, melón, sorbete de guanábana, dulce de curuba y un requesón con miel que las Lilias nombraban *Maná*, pero fue inútil, porque finalmente el almuerzo llegó por correspondencia expresamente desde las cocinas del Hotel Hilton: pechugas a la americana, cerdo al jerez, conchas de huevo a la King, ravioli en salsa, arroz al curry y postre de peras a la normanda. El padre Almida se disculpó con las Lilias: «Don Justiniano insistió», les dijo, «no pudimos convencerlo de lo contrario. Qué podíamos hacer, si es por su caridad que logramos elevar obras a Dios. Aunque yo mismo le advertí que disfrutaría mucho más de la sazón de las mujeres de nuestra parroquia, las tres piadosas mujeres que desde hace años nos acompañan y ayudan en los menesteres de Dios, las tres humildes y devotas cocineras un millón de veces más cocineras que cualquier chef de Francia, porque cocinan con amor». Así hablaba y encantaba el padre Almida a sus colaboradoras, pero sólo cuando el sosiego lo alentaba, la paz consigo; ahora veían a un reverendo deshecho, irascible, y que dio miedo cuando Sabina informó que Ballesteros estaba al teléfono. Por lo visto tampoco Ballesteros se hallaba en camino.

–No puede ser. –Almida se hizo dueño del teléfono. A su lado, la casi albina Sabina Cruz parecía una figurilla, otra de las Lilias. Se oyó el retumbo de un trueno; repetidos relámpagos alumbraban de azul el jardín.

–Padre Ballesteros –empezó Almida–. Es la primera vez que pido la colaboración de un sacerdote. Tengo una cita urgente, inexcusable, en bien de mi parroquia, y aquí me aseguran que usted se comprometió. Yo lo he reemplazado a usted tres domingos.

Hubo un silencio expectante. De seguro Ballesteros se estaría disculpando, pero no se oía su voz, de modo que Tancredo y el sacristán dedicaron el silencio a ignorarse. Sus miradas chocaron cuando oyeron la exasperada voz del padre Almida, y se volvieron a mirarlo, aferrado al teléfono como un náufrago.

–Pero si tampoco él se ha presentado –protestaba–. Y conociéndolo como yo lo conozco es muy posible que llegue el año que viene, ¿me ha oído?

De nuevo el silencio. Entonces siguieron la mirada del padre elevándose a la puerta del gabinete. Allí, en el umbral, oyéndolo todo en compañía de una de las Lilias, empapado hasta los huesos, esperaba un sacerdote. El reverendo padre Juan Pablo Almida colgó lentamente el teléfono. Suspiró.

–Padre Matamoros –dijo–. Tenga usted muy buenas noches. Dios me lo envía.

II

Desde que Tancredo recuerde, ésa fue la noche que alumbró sobre todas sus noches, noche distinta y demoledora, inicio o final de su vida, agonía o resurrección, sólo Dios sabe. Noche solemne, su pasión y extrañeza superaron incluso a la primera noche que Sabina y él se enredaron por fin en un sombrío rincón del patio, después de años de inocente escarceo, y pecaron hora tras hora hasta la madrugada como si se resarcieran de un siglo de distancia.

La garrafa de licor seguía todavía en la mesa cuando Almida y Machado corrieron al patio, bajo la lluvia, para abordar el volkswagen. Las tres Lilias los escoltaban, armadas de sendos paraguas. Los dos máximos representantes de la parroquia parecían fugarse, las cabezas dobladas en el nicho protector de los paraguas, los cuerpos engabardinados y oscuros huyendo a su destino indescifrable.

El padre Matamoros, inesperado reemplazo de Almida, se quedó esperando de pie en el gabinete; tan pronto vio regresar a Tancredo se derrumbó en la primera silla: «Todavía hay cinco minutos para esta devota garganta», dijo, «deme algo de eso», y señalaba mientras tanto la garrafa, «¿qué es?» preguntó, «ah, licor de avellanas. Muy dulce». Para estupor de Sabina, que acababa de entrar, se tomó el resto de la botella –con veinticinco grados de alcohol, según las discretas palabras de Almida, y usó para ello una de las tazas de café recién usadas: sus ojillos, negros y hundidos, se incendiaron un instante. «Es bueno contra el frío», dijo refregándose las manos mojadas.

De una edad indefinible, el padre Matamoros –el reverendo padre San José Matamoros del Palacio– resultaba de verdad un raro pájaro en la parroquia, gris y desplumado, venido de Dios sabe qué cielos. Vestía de paño oscuro y en lugar de alzacuellos usaba un suéter gris, de cuello de tortuga; su chaqueta parecía prestada, le quedaba grande; sus redondos zapatos casi negros, de colegial, tenían el cuero rajado y las suelas desaparecidas; los cordones eran blancos; usaba anteojos cuadrados: una lente partida por la mitad, una pata remendada con una sucia tira de esparadrapo.

Acabado el licor se fue corriendo con Tancredo a la sacristía (la lluvia arreciaba y se aposentaba en los sifones del jardín, desbordándose por sobre el pasillo de piedra) y, ya en la sacristía, acezante, pasó revista a cada ámbito, haciendo hincapié en los devotos lienzos que ornaban las paredes. Se persignó ante una virgen de Botticelli, y pareció orar con los ojos, maravillado; tiempo que Tancredo aprovechó para buscar una toalla y secarle el rostro y cabello, las empapadas manos, el pescuezo de pájaro. Matamoros se dejó hacer, sin quitar los ojos de la piadosa Madona del magníficat. Por fin suspiró, y echó otra mirada en derredor, asintiendo con la cabeza. Reparó con alguna ironía en el teléfono, negro y antiguo, sobre una mesita. Lo sorprendió ese lejano rincón del teléfono donde, además, se divisaba una silla vacía, escueta, rodeada de una muchedumbre de ángeles de yeso, vírgenes y santos consternados, especie de tropa vencida, con las narices rotas, sin brazos, la mitad de las alas desaparecidas o descoloridas, los ojos blancos, los rostros raspados, las manos partidas y los dedos agrietados, extraño gentío que sin duda esperaba ser trasladado al artesano resucitador, o al basurero. Y se sonrió: «Teléfono para llamar a Dios», dijo. De su bolsillo sacó un diminuto peine amarillo, con el que apaciguó la revoltosa melena, usando a modo de espejo el inmenso copón de oro que Almida jamás quiso usar en sus misas, Dios sabe por qué. Del mismo bolsillo sacó un frasco de enjuague bucal, y –para bochorno del jorobado– hizo dos o tres buches que arrojó sin misericordia dentro del mismo copón. «Habrá que limpiar esto», dijo, y sólo entonces miró a Tancredo con fijeza de ave de rapiña. «Es usted mi acólito, ¿cierto?» preguntó, ofrendando la inevitable ojeada a su joroba. Sonrió sin maldad. «Ponga esto», ordenó, «en el altar». Se lo dijo mientras entregaba una luminosa y bien labrada vinajera de cristal, llena de agua. «Con esto decanto el vino», dijo, y, enseguida, los ojos puestos en un crucifijo de bronce, igual que si rindiera una explicación al Altísimo: «Prefiero beber mi propia agua en mis misas». Después se dejó ayudar a vestir los atuendos sagrados, sin apartar los encendidos ojos del solícito jorobado, de su elevada joroba, que soslayó de abajo arriba con franqueza: «Otra catedral», dijo señalándola.

En el momento crucial del ingreso al santuario, se volvió hacia Tancredo como si hubiese olvidado algo: «Yo no leeré el Evangelio», dijo con un susurro, «eso lo hará usted. Supongo que ya sabrá en qué día estamos». Y avanzó con parsimonia hacia la albura del altar, que parecía flotar en la niebla, avanzó inmerso en el incienso de los cirios perfumados, rodeado por el ruido respetuoso de los cuerpos de los feligreses incorporándose. Besó el centro del altar, un largo rato, doblando una rodilla, los brazos extendidos como alas, la espalda fulgiendo bajo la gran cruz bordada en oro de su túnica, y se irguió majestuoso, paseando los ojos por los demás ojos que lo invocaban, y dio inicio a su misa: peculiar inicio, consideró Tancredo, escalofriado, porque después de santiguarse y saludar en el nombre del Padre y del Hijo y del Espíritu Santo, y antes de iniciar el acto penitencial, no dijo amadísimos hermanos sino amantísimos.

No puso el jorobado mayor atención al desenvolvimiento del saludo: poco antes de ubicarse a un lado del altar descubrió que los ojos de Sabina lo vigilaban desde el interior de la sacristía. Estaría pendiente de él hasta que finalizara la misa, y seguiría pendiente hasta que el padre Matamoros marchara. Entonces arremetería y se saldría con la suya, a no ser que Tancredo se rodeara de las Lilias, como un deplorable escudo.

La misa del padre San José no fue una misa rezada. Para sorpresa y jolgorio de los nocturnos feligreses, resultó una misa cantada. ¿Quién podía suponer que el padre Matamoros, además de llevar su propia agua al altar, era un perfecto *Misacantano?* En los ámbitos fríos y abovedados su voz pareció que venía del cielo. Repitió su invitación al arrepentimiento, pero cantando: *Amantísimos hermanos, antes de celebrar estos sagrados misterios, reconozcamos nuestros pecados.* Era como si el órgano sonara. Tancredo levantó los ojos hacia la bóveda de mármol y miró como si huyera la bandada de ángeles pintados volando entre las nubes, los vio devolver su mirada, y todavía no sabía si sentirse aterrado o conmovido. Hacía cuánto, pensó, que la misa no se cantaba. La pureza de la voz era el aire que respiraban. Nadie entendía nada, pero la voz cantaba. Eso sí, ninguno de los feligreses se atrevió a replicar cantando, y así dijeron el Yo confieso ante Dios Todopoderoso y ante vosotros hermanos que he pecado mucho de pensamiento, palabra, obra y omisión, tímidamente, como corderos, y se golpearon el pecho susurrando al unísono por mi culpa por mi culpa por mi gran culpa, y después del golpe de pechos que resonó igual que un tambor ultraterreno, y que los admiró de sí mismos, enalteciéndolos, como si al fin comprendieran que sus propios cuerpos pudieran sonar y cantar, siguieron rogando a santa María siempre Virgen a los ángeles a los apóstoles y a vosotros hermanos que intercedáis por mí ante Dios nuestro Señor... Hubo un silencio infinito, y el padre Matamoros concluyó cantando Dios

Todopoderoso tenga misericordia de nosotros, perdone nuestros pecados y nos lleve a la vida eterna, y entonces por primera vez como una comunión el pueblo entero se atrevió a responder cantando: *Amén*.

En primera fila –porque asistían inquebrantables a primera y última misa– se encontraban las tres Lilias, tan distintas pero tan parecidas, uncidas al mismo nombre desde que empezaron a servir al padre Almida, viejas y de negro, por segunda vez vestidas como de fiesta, las tres con pulcro sombrerito ornamentado, velo y misal, zapatos de charol, pero las manos olorosas a cebolla, los alientos idénticos al paladeo de cada plato, en los ojos todavía la llama de las estufas, la fatiga de cortar carne y ajo en pedacitos, exprimir limones, cocinar hasta perder el hambre. Esa noche, sin embargo, sus ojos se aguaron no por la sangre de las cebollas ni por más rábanos heridos sino por algo como un licor sacro que se desbordó en sus oídos y tocó sus almas y las hizo al fin llorar en silencio. Sonreían como una sola Lilia. Eran una isla entre los fieles, que ya las distinguían por el olor y preferían cederles una banca entera, sólo para ellas, sin vecinos atrás y a los lados, privilegio o soledad que ellas en su inocencia casi azul entendían como una respetuosa deferencia de los devotos para con las mujeres que cuidaban del padre Almida, de su desayuno, de su alma inmaculada y su camisa limpia.

También Sabina, oculta en la sacristía, no dejaba de inmiscuirse con toda su vida al canto que nadie esperaba. Por unos instantes de gracia aquel sacerdote aparecido le hizo olvidar que ella y Tancredo quedarían solos en la parroquia, sin Almida ni Machado; veía la espalda corpulenta, la afilada joroba de Tancredo, la cabeza elevada, pero por fin no lo veía, no le importaba, sólo escuchaba embebida al padre San José invitando a los fieles al arrepentimiento. El cántico del misacantano, que al principio casi los hizo reír de pánico, ahora los hacía llorar de alegría. Cuando llegaron las Invocaciones los feligreses se desmandaron a cantar al Señor que tuviese piedad, Cristo ten piedad, Señor ten piedad, y se sintieron levitar con el Gloria a Dios en el cielo, que Matamoros repitió cantando a solas, y en latín. Lo atendían, arrebatados: Glória in excélsis Deo et in terra pax homínibus bonae voluntátis. Laudámus te, benedícimus te, adorámus te, glorificámus te... y todos, al final de la oración, se decidieron y cantaron un Amén pletórico de entusiasmo que acarició las paredes, palpitó en cada ámbito, desde el altar hasta la calle.

Pues uno que otro transeúnte había detenido su camino al oír esa misa imposible a las siete de la noche, pensando seguramente en la presencia de un respetable muerto a la vera del altar, la memoria de un obispo, por lo menos; pero no había muerto por ninguna parte, y la misa era cantada. Todavía sin muerto, los intempestivos feligreses de la calle se aglomeraban cautivos en las puertas. Además, llovía, y una misa cantada era una buena excusa para escampar.

De nuevo Tancredo miró al cielo del templo, como si huyera; la misa del padre San José –pensó– era un híbrido, una vivisección; usaba pasajes de misas antepasadas, de convenciones desaparecidas, y los enlazaba con otros de misa actual, que, sin embargo, se atrevía a repetir, cantando, en latín. Inmediatamente después del ofertorio, antes del sanctus, ocurrió algo que Tancredo pensó que podía espeluznar al mismo reverendo Almida y sus cuarenta años de sacerdocio: Matamoros, de pie, los brazos extendidos, recostó la cabeza en mitad del altar y se hundió en la Oración Secreta, que para sorpresa del mundo no fue la oración breve que se acostumbra sino que duró sus buenos cinco minutos, y puso a Tancredo a considerar maravillado que a lo mejor el padre Matamoros dormitaba.

Lo asombró peor, y ese asombro se podía extender a los gamines y a los ciegos que frecuentan los Almuerzos, a los ancianos y a las prostitutas, al lejanísimo Papa, lo pasmó, al ayudar al padre con los utensilios sagrados y extender la vinajera para que revolviera el agua con el vino, al destapar la vinajera y ofrecerla –siendo ésta raptada por las ansiosas manos esqueléticas que la demandaban–, lo petrificó oler en el aire de ese rincón –el más sagrado de la iglesia, el altar–, lo erizó al espanto, lo indignó oler, por entre el incienso, el afilado, el áspero anís, más incisivo que el clavo y la canela, el olor del país, pensó, aguardiente –descubrió–, y vio todavía que el padre Matamoros se resolvía y vertía más de la mitad en el sagrado cáliz, y bebía con sed. Era la transubstanciación, y Tancredo no podía y no quería creer que para el cambio del pan y del vino en cuerpo y sangre de Cristo se usara aguardiente. Por primera vez en su vida –el acólito, el jorobado– se escandalizó. San José Matamoros –pensó– no sólo era un padre misacantano, sino más bien uno de los que llaman de misa y olla, un redondo padrecito borracho. Todavía, después de la genuflexión, vio hacer a Matamoros algo terrible: se limpió los labios con la estola. Pero Tancredo se repuso. Otros deslices de sacerdotes había conocido, por sí mismo y de oídas; también los sacerdotes –pensó, como tantas veces le enseñó a pensar Almida– eran carne expuesta al pecado, hombres al fin, con todos los huesos contados, hombres comunes que hacen lo imposible: pronunciar la palabra de Dios, la palabra antigua.

De cualquier manera el reverendo San José se redimía. No era justo interpretarlo como un simple padrecito. Así por ejemplo su sermón: cuando Tancredo leyó el evangelio, San José lo escuchó sentado en el sillón de mármol a un lado del altar, repantigado en el ancho espaldar acojinado, de brazos imponentes y dorados, con el rostro descansando en una mano, los ojos cerrados: exactamente como si durmiera. De hecho, después de finalizar Tancredo su lectura, transcurrieron eternos tres y cuatro minutos antes de que San José resucitara y acudiera al púlpito para dar inicio al sermón. Sermón que poco o nada tuvo que ver con el Evangelio, ¿cuál Evangelio?, ¿Mateo, Lucas, Marcos, Juan?, su lectura la deshizo el cielo, pero cómo no, se gritaba Tancredo, si fue un sermón cantado, la misa rediviva de los que ya murieron. Un sermón insólito además por lo breve, pleno de gracia, que a Tancredo se le antojó más un poema cantado que un sermón al derecho y al revés, pero una plegaria al fin del camino, pensó, una plegaria al amor de los hombres, sin razas ni credos, la única vía todavía desdeñada que Cristo propuso a la humanidad para alcanzar el cielo como si se estirara la mano. Fue la misa de la transparencia. Al terminar los feligreses de decir el Padrenuestro aguardaron esperanzados a que Matamoros lo repitiera cantado, como repitió el Gloria y el Credo, y así ocurrió, para gracia de todos: en latín exquisitamente cantado el Pater noster, qui es in caelis: sanctifecétur nomen tuum; advéniat regnum tuum; fiat volúntas tua, sicut in caelo, et in terra... los remontó a los cielos. Pero de los cielos cayeron a tierra extrañados a la hora del rito de la comunión. El padre San José se acercó a la fila de fieles que aguardaba y demandó con un gesto de hombre de carne y hueso preocupado la ayuda del acólito para que sostuviera el dorado copón con el cuerpo de Cristo que esplendía. Los comulgantes se pavorizaban del temblor de sus manos. En más de una ocasión todos temieron que las hostias resbalaran de sus dedos. Los comulgantes optaron por achacar el temblor a la misma emoción que los embargaba a ellos, la plenitud de aquella música cantada que hizo de la misa una apoteosis de paz. Aguardaron en un hilo a oírlo acabar de cantar la *Oración después de la comunión*, y cuando llegó al fin la última ocasión de responder y despedirse todos cantaron *Amén* como uno solo. Se oyeron los corazones.

Exhausto –como nunca Tancredo vio jamás a un

oficiante al acabar la misa–, el reverendo San José Matamoros repartió su temblorosa bendición en nombre del Padre y del Hijo y del Espíritu Santo y después entró en la sacristía, casi empujándose a sí mismo; así de fatigado se veía. Tancredo lo siguió, desesperanzado. Ya era una realidad que la misa había terminado: ya en el techo abovedado de la iglesia los ángeles sólo eran ángeles pintados, y los ojos de los ángeles eran sólo ojos de Sabina convocándolo: en todas las nubes un ángel con ojos de Sabina lo contemplaba. Era la terrena caricia de la carne que aguardaba por él, caliente, mojada. De ahora en adelante la noche era de Sabina, pensó, pero también suya, de sus miedos, la desolación de los Almuerzos, los días idénticos que ya veía venir.

La misa había terminado, pero las fieles ancianas de la Asociación Cívica del Barrio todavía continuaban pétreas en sus sitios, piedras de Iglesia, compenetradas en un cántico mudo, silencio de siglos.

Era como si nadie se quisiera ir.

Las tres Lilias fueron las primeras en reaccionar para lanzarse en punta de pies detrás de Matamoros, a quien encontraron ya sin los atuendos sagrados, jadeante, sentado en el único sillón de la sacristía, junto al teléfono, rodeado de ángeles y apóstoles, limpiándose la frente con una toalla. Se acercaron como si temieran que no existiera y también como si no dieran crédito a que existiera, y lo rodearon, cuidadosas, igual que a una aparición.

En el silencio sólo se oía la lluvia, inalterable, como una desazón, y el ir y venir del jorobado, que doblaba cuidadosamente los atuendos sacerdotales y los organizaba uno encima de otro en el interior de un gran cofre de madera. La luz de una bombilla resultaba insuficiente y la noche devoraba los rincones; los cuerpos de las tres Lilias no se veían: bultos partidos, desaparecían en la negrura; sólo sus rostros flotaban, amarillos, ajados y peludos, y esplendían como asomados a lo maravilloso.

–Dios lo bendiga, padre –dijo por fin una de ellas–. No habíamos cantado hacía una eternidad.

Las palabras se fundieron con el silencio, la lluvia arreció.

–Hay que cantar –les dijo el padre–. Hay que cantar.

Se volvió a mirarlas con dificultad. Estaba afónico, pero sonrió y les dijo:

–Bueno. Cansa cantar. A veces cansa cantar.

–Tiene que ser así, padre, porque se ve. Su cara lo dice, su voz se resintió.

No se supo cuál de las tres Lilias había hablado.

–Nosotras quisiéramos invitarlo a una refacción, padre.

Y otra, corrigiendo:

–Nosotras no, padre. La parroquia, los corazones felices que hoy escuchamos su misa.

San José Matamoros resopló y meneó la cabeza. Nadie supo qué quiso decir con eso, ¿lo disgustaban, acaso, las zalamerías? Y se petrificó, rodeado de arcángeles de yeso: otro ángel. Una Lilia insistió:

–Padre: la palabra de Dios canta. Pero así como usted la canta, nosotras no la escuchábamos desde niñas.

Y otra:

–Descanse con nosotras. Repose. Claro que si quiere cantar otra vez, nosotras seguiríamos orando...

Y la tercera:

–Hasta que nos llame Dios.

El padre pareció terminar de entender quiénes eran ellas, y sonrió más.

–Por favor –dijo–, necesito por ahora una copa de vino, sólo una copa de vino, por favor.

Y era sincero:

–El frío mata.

Una de las Lilias se atrevió a proponer:

–¿No sería mejor una copita de brandy?

Y otra:

–El brandy calienta más, padre. Y ayuda más a cantar.

San José resplandeció.

Las tres Lilias hicieron amague, al tiempo, de ir por la copa de brandy. Se miraron dudando. «¿Quién va?», dijo cualquiera de ellas. Y salieron al fin las tres, diligentes, como una sola.

–No queremos entretenerlo mucho tiempo, padre. Usted tiene que descansar. –Ni Tancredo ni el padre supieron de dónde se había aparecido Sabina. Acaso brotó oscura y afilada como su voz de entre las estatuas de vírgenes y santos que poblaban ese rincón de la sacristía. Se había quitado la pañoleta azul; su pelo cenizo revuelto disimulaba su cara. La siguieron escuchando, sin atreverse a interrumpirla–: Si usted quiere puede marcharse. Le llamaremos un taxi, no se mojará. No vamos a detenerlo, nadie quiere importunarlo.

La boca de Sabina se apretó. Parecía arrepentida de sus palabras. Afuera, en el mundo, la lluvia amainó.

Tancredo acabó de guardar los atuendos. Quería irse de allí, y no sabía por dónde empezar para lograr despedirse y huir a su cuarto y tenderse en el lecho como si se acabara de morir. Por una parte sabía que Matamoros se encontraba borracho, o más que borracho: pasmado. Era posible que se derrumbara dormido en cualquier momento, y él tendría que hacerse cargo; por la otra, la sola cercanía de Sabina lo hacía sufrir de sus miedos horribles de ser un animal, pero un libre animal, volando en la carne, y ese miedo, el más terrible de los miedos, resultaba ahora mucho más terrible que en los Almuerzos, cuando lidiaba con los ancianos que se fingen muertos, o, peor aún, con los ancianos muertos.

–En la cocina –dijo Tancredo, decidiéndose–. Comeremos algo en la cocina, padre. Allá hace calor. No nos demoraremos.

–Como ustedes decidan –repuso Matamoros, conciliador. Iba a añadir algo definitivo, pero se quedó mirándolos fija y alternativamente, los ojos de ave de rapiña indagándolos, exhumando uno por uno los días de su vida, su memoria, descubriéndolos. Sabina no pudo resistir a esa mirada; apartó sus ojos. Ahora parecía una muchachita cogida en falta, ruborizada. A Tancredo le pareció desnuda, que Sabina se ruborizaba como si la sorprendieran desnuda, como cuando él la sorprendió alguna vez, hace años, en la ducha, metiéndose tras ella mientras el reverendo Juan Pablo Almida oficiaba misa en compañía de Celeste Machado.

En eso llegaron las tres Lilias, una de ellas con una bandeja primorosamente cubierta con un mantelito, y en la bandeja una copa de reborde dorado, colaciones, y una botella de brandy.

Matamoros, que había estado a punto de decir algo, se contuvo, fulgurante, y se abrió de brazos.

–Por favor –dijo–. No voy a beber solo.

Los cinco habitantes de la parroquia se contemplaron unos a otros, atónitos.

–Es cierto –dijo una Lilia, condescendiente–. Bebamos todos. Hace frío.

–Yo no bebo –dijo otra Lilia, sonriendo. Con su sonrisa parecía esperar que le rogaran que bebiera, para beber, y que se lo rogaran una vez, sin necesidad de más insistencias. La tercera Lilia meneó la cabeza:

–Yo no sé –dijo. Y, al encogerse de hombros, pareció añadir: «Yo no, pero ustedes sí».

–Tampoco yo –dijo Tancredo–, y eso no tiene importancia, padre, nosotros lo acompañaremos.

–A nosotros, padre –dijo Sabina–, no nos está permitido beber; y aunque lo permitieran, ningún habitante de esta parroquia desearía beber, ni ahora ni nunca. La botella que han traído ellas la usa el reverendo Almida muy de vez en cuando...

–No es la misma botella, señorita –interrumpió dulcemente una Lilia como si explicara la mejor manera de hacer pan. Y se echó a reír, suave, bondadosa–: De estas botellas hay muchas, muchísimas, todas iguales. Siempre, antes de dormir, el padre Almida y su padrino, señorita, el sacristán Celeste Machado, se beben un buen vaso de leche caliente con una todavía más buena copa de brandy. Nos dicen que es bueno para dormir. Nosotras se los creemos.

Sabina enrojeció.

–¿Sí? –preguntó a todas las Lilias como una amenaza–. ¿También ustedes duermen con brandy?

–A veces –respondió la Lilia que antes había dicho «Yo no sé». Y dijo, pensativa–: Aunque es mejor una agüita de yerbabuena.

Sabina la enfrentó, mordiéndose los labios:

–El reverendo Almida se enterará de esto, sin duda. Veremos cuál es su parecer.

Matamoros se incorporó. Parecía lo más probable que se despediría. Se abotonó la chaqueta demasiado grande, de grandes bolsillos, donde ya tenía guardada su vinajera vacía, y se refregó las manos. «Hace frío», sonrió. Pero sonreía para él mismo, o para nadie, igual que si estuviese en otra parte, a un millón de años luz, participando de un coro de ángeles, acordándose de bromas felices, antepasadas, que sólo concernían a él; como si no hubiese estado con ellos jamás, todo ese tiempo, desde que llegó debajo del aguacero a la parroquia y ofició la misa y cantó; como si no hubiese escuchado nada de la punzante charla entre Sabina y las viejas. Volvió a acomodarse la chaqueta, subiéndose el cuello por encima del cuello de tortuga de su suéter. Ahora lo vieron flaco y viejo y triste, como los que no quieren despedirse y se despiden. Se oyó el suspiro de Sabina: descansaba de un peso; al fin el misacantano se marcharía. Pero el padre Matamoros se dirigió tranquilamente hasta la Lilia que sostenía la bandeja y, reverenciándola, recogió copa y botella y echó a andar.

Se detuvo en la puerta.

–Bueno –dijo–. Si voy a beber solo, no será sentado solo, en esa silla sola, rodeado de apóstoles y arcángeles, mientras ustedes me miran de pie. Vamos a la mesa.

Y abandonó la sacristía, dirigiéndose seguramente al gabinete. Tan pronto quedaron solos, los cinco habitantes de la parroquia recuperaron sus rostros.

–Esto es inadmisible –dijo Sabina–. El padre Almida se enfadará, y con todo el derecho. ¿Quién les pidió a ustedes una... refacción? ¿Es así como respondemos al padre, la primera noche que nos da su confianza y nos deja solos, encomendándonos su iglesia? Debemos dormir. Mañana es Almuerzo de familia...

–¿Dormir? –preguntó maliciosa una de las Lilias, mirando con el rabillo del ojo a Sabina. Las otras dos inclinaron la cabeza, atentas, igual que si oyeran misa. Sabina retrocedió, como si físicamente alguien la empujara. También Tancredo retrocedió, por instinto, y abrió la boca, como si se dispusiera a hablar. «Las Lilias lo saben todo», comprendió, «nos descubrieron».

Y luego: «Nos han descubierto, quién sabe desde hace cuánto. A lo mejor desde el primer día». Y, por un segundo, se aterró, se vio sin la protección del padre Almida, sin el techo de la parroquia, hundido en esa perpetua noche sin día que es Bogotá. Se arrepintió de sus noches con Sabina. Sí. Era posible que también Almida lo supiera, y hasta el sacristán. Debido a eso no confiaban en él, negándole sus estudios universitarios, confinándolo a esa labor de criado de los Almuerzos. «Eso es», se repitió. Y examinó a las tres viejas una por una, como si las viera por primera vez. Ninguna se sintió aludida ante su examen; más bien parecían sentir por él cierta lástima, como si él sólo fuese un niño, un juguete, y no tuviese culpa del juego.

–Oímos una misa que hay que agradecer –dijo alguna de ellas, o lo dijeron todas al tiempo, porque la voz sonó igual que un reproche cantado, vibrante, que opacó la lluvia–: No fue una misa cualquiera.

No se sabía cuál era más vieja. Aunque las tres eran pequeñas, dos de ellas eran más grandes y parecidas; la tercera parecía su muñeca. Habían adquirido, con los años, las mismas costumbres y gestos; era como si actuaran al tiempo, sin premeditarlo, y que lo que una decía había sido pensado por las dos otras, de modo que lo que iniciaba una era casi terminado por la otra, que, sin percatarse, como si compartiera un pan, dejaba tiempo para que la tercera acabara. Machado dijo alguna vez que las Lilias iban a morirse el mismo día, y del mismo achaque, y que también era posible que resucitaran al tiempo. Almida no celebró la broma:

dijo que el día de la resurrección no podría haber primero ni último. Dijo que la felicidad de la resurrección ocurriría al mismo tiempo, y así le dio otro giro a la conversación sobre las Lilias. Nunca permitió que se bromeara con ellas. Por algo las respetaba, pensó Tancredo, no solamente por su cocina. ¿O les tenía miedo? A veces, era como si Almida huyera de ellas, en medio de un pánico indefinible, un presentimiento.

–En cuanto a la refacción –dijo otra de ellas–, no es decisión nuestra. El mismo Juan Pablo Almida, antes de irse, nos recomendó que diéramos de comer al padre cuando acabara su misa.

–Pues entonces sirvan y acaben –dijo Sabina–. No podemos perder más tiempo.

Tancredo miró fugazmente la puerta. Lo molestaba, de manera creciente, cada palabra de Sabina, su imprudencia. Si las Lilias lo sabían todo, no valía la pena importunarlas. De hecho, una de ellas replicó a Sabina:

–Perder tiempo, señorita. ¿Tiempo de qué?

Sabina estalló, acorralada:

–Ah, basta –dijo–. Ya no tolero sus cuchicheos, sus groserías. Es horrible escuchar sus misterios, sus invenciones, sus falsedades, pero es más horrible escucharlas a ustedes, sólo sus voces, y todavía peor saber que están por ahí, a espaldas de uno, espiando. Si quieren decirme algo, díganlo ya, sin rodeos.

–Qué dice usted, señorita. Yo no la entiendo –repuso una Lilia, conciliadora–. Qué quiere que le digamos. Qué quiere escuchar.

Y otra:

–No es usted la misma Sabinita que conocimos. De unos años para acá es sólo una señorita maleducada. No parece la ahijada del sacristán. Es como si no hubiese leído la Biblia. Nos entristece a las tres, que la vimos crecer desde niña, que fuimos sus madres y abuelas y amigas, sus servidoras.

Sabina empezó a golpear con su zapato en el piso, tensa, los puños apretados, su boca afilada. A la luz de la única bombilla se veía más que dorada, inmersa en las llamas de su cabellera, en la luna de fuego de su cara trastornada. No podía hablar de la física ira. Tancredo se apresuró a intervenir:

–Preparen esa comida –repitió–. Yo debo cerrar la iglesia.

–La iglesia –se asustaron las Lilias–, la iglesia de Dios abierta, Dios. ¿Cómo se olvidó usted, Tancredito, de las puertas de la iglesia? Puede entrar un ladrón en cualquier momento, y...

–¿Y robarse a Dios? –se oyó la voz del padre Matamoros. Lo descubrieron asomado a la puerta–. ¿Van a dejarme solo? –preguntó–. A mí también pueden robarme. Charlemos en paz unos minutos, y me iré. Llueve menos. Vaya usted... Tancredito... y cierre esas puertas. Nosotros lo esperaremos.

Las tres Lilias avanzaron de inmediato hacia el padre.

–La refacción está preparada –explicaron–. Sólo hay que dejar que se caliente.

–Vengan conmigo –repuso Matamoros, permitiendo que lo rodearan. Sabina se les acercó; quería decir algo, tenía que decir algo, la última palabra, pero no sabía qué.

Tancredo se apresuró a regresar a la iglesia. Atravesó el templo vacío. Iba, mientras tanto, verificando que no hubiese nadie en las naves. Incluso se asomó a la capilla de santa Gertrudis, lo absorbió la imagen azul, de ojos como si volaran en un río, se persignó, quiso decir alguna oración, no supo cuál, siguió abstraído, ahora recordaba el picante olor del aguardiente en el altar y todavía no lograba creerlo; parecía rezar en silencio, pero pensaba en la inquisición: sólo por ese detalle a San José Matamoros podían quemarlo vivo. Lo imaginó en la mitad de una pira, en esta misma iglesia, y sonrió: antes del fuego pediría otro aguardiente por favor. Sonrió más, mientras se dedicaba a revisar uno por uno el interior de los confesonarios, por si algún ladrón se había refugiado en su interior. No era raro. Los robos a la iglesia aumentaban día por día; y no solamente se robaban los objetos de valor, los más sagrados, como el cáliz, o los lienzos, sino simples estatuas de yeso, velas y velones, cirios, astillas de palosanto, incensarios, alcancías –un día un reclinatorio, otro día una banca, un pedazo de alfombra, incluso las mismas tinajas de piedra donde reposaba el agua bendita, la empobrecida cartelera de la entrada, el bote de basura, y, lo que era el colmo, un día las dos primeras gradas de la angosta escalinata, bruñidas y labradas, que en su larga ascensión en forma de caracol hasta el cimborio representaban diferentes escenas del Vía Crucis. Por más que el reverendo Almida increpó públicamente al ladrón para que devolviera a Dios lo que era de Dios, explicando que aquella escalinata era un regalo de una compañía religiosa florentina y había sido además bendecida por el papa Pablo VI, las dos gradas no fueron devueltas; peor aún, desaparecieron una tercera y una cuarta, en sólo tres domingos, y eso ya no parecía de un ladrón sino de un bromista o un fanático de las bendiciones del Papa. Un coleccionista. Bogotá, en todo caso. El padre Almida ordenó guardar el resto de la escalinata y reemplazarla por una común y corriente, de mala madera, que se deshacía por la carcoma.

Ya iba a cerrar Tancredo las puertas cuando percibió que la última banca de la iglesia, en la nave central, estaba ocupada en su totalidad por mujeres inmóviles; siete o nueve devotas de la parroquia, la mayoría abúlicas, desconcertantes abuelas, integrantes de la Asociación Cívica del Barrio. Lo habían estado observando todo ese tiempo, desde que se puso a inspeccionar los confesonarios, a indagar presencias, alinear bancas y enderezar reclinatorios.

–Se esmera usted –dijo una de las mujeres.

Tancredo fingió no sorprenderse:

–Y ya tengo que cerrar las puertas –dijo.

–Las puertas que deberían permanecer abiertas –repuso la misma mujer–. Pero qué le vamos a hacer, Tancredito, si en este país ni siquiera respetan a Dios.

Se pusieron de pie al tiempo y avanzaron hacia Tancredo.

—Ha sido una misa hermosa —dijeron—. Por un momento pensamos que no era una misa terrena. El reverendo que la ofreció tiene que ser... un ser especial. Cantamos de nuevo, gracias a él. Cantamos con él y lloramos de alegría. Si doña Cecilia estuviese viva habría sido feliz.

Y todas se hicieron la señal de la cruz.

—Que en paz descanse —dijeron al unísono. Parecían seguir cantando. Y avanzaron detrás de Tancredo hasta las puertas, como en procesión. La lluvia había decrecido, pero una llovizna persistente, incisiva, resultaba todavía peor en la calle.

—No importa esta lluvia —dijo una de las mujeres—, no fue una misa perdida, gracias a Dios.

Las demás asintieron a estas palabras con tristeza:

—Porque las hay, las hay.

Esperaban que Tancredo dijera algo, pero guardó silencio.

—Quisiéramos hablar con el padre —le dijeron para sacarlo del apuro.

—Cuando ustedes lo soliciten —repuso Tancredo—. Concertarán la cita, como siempre.

—Usted no nos entiende, Tancredito, queremos hablar con el ave que cantó hoy, frente a nosotras, ¿sería eso posible?

Tancredo ya lo suponía.

—El padre San José se dispone a una refacción —dijo.

—Entonces se llama San José —se asombraron.

Y una de ellas, con un suspiro:

—Sólo así podía llamarse alguien que cante de esa manera.

Y luego, consultándose:

—No lo moleste. Algún día lo encontraremos. Cuánta falta nos hace un padre como él, ¿cierto?

—Cierto —repuso otra—. Porque, con el perdón de Dios, si este padre encabezara esta parroquia estaríamos vivas. —Dijo eso y se ruborizó de inmediato; ninguna de sus comadres quiso o pudo contradecirla.

—Las Lilias —dijeron—, las Lilias amigas, las leales y consagradas Lilias sabrán hablarnos del padre San José y su paradero, con todas las minucias. No se preocupe, Tancredito, ya hablaremos con ellas.

Satisfechas, empezaron a salir de la iglesia, divididas en grupos, tomadas del brazo. Todas abrieron los paraguas; eran como viejos pájaros oscuros elevando las alas, a la luz de las bombillas de la calle, en las infinitas rayas centelleantes de la lluvia. «Es llovizna pero llueve», decían.

Puso las pesadas trancas y selló los inmensos candados. Después atravesó de vuelta la iglesia, rápidamente, y apagó los cirios del altar, lo primero que debió hacer al terminar la misa, ¿cómo olvidó apagarlos?, y se respondió: *«Matamoros, su canto, su agua»*. La sola presencia de aquel padre en la parroquia era un suceso todavía latente, imprevisible, ¿qué iría a pasar? Se dirigió a un rincón, cerca del altar, y, detrás de un lienzo enorme que representaba a Adán y Eva huyendo del paraíso, pudo encontrar el obturador con que apagó el resto de luces eléctricas. La oscuridad se lo tragó por entero en el frío del santuario todavía oloroso a incienso, pero también a tenues ramalazos de aguardiente que hostigaban, que lo hacían seguir en misa y oír los cantos del misacantano y verlo tambalearse sin ninguna fuerza a la hora de la comunión. Sólo el lejano hueco cuadrado de la puerta que llevaba a la sacristía se veía escasamente iluminado. Un leve eco de quién sabe qué voces y quién sabe de dónde retumbó lento desde la cúpula; era un tañido de almas en desamparo, un tañido lejano, pero presente, como si tampoco de noche la iglesia estuviera vacía, y otros comulgantes esperaran, sentados, de pie, enfermos y sanos, dormidos y despiertos. Eran los ecos de la noche en la iglesia vacía, la misa de noche –decía Tancredo, en sus desolaciones, cuando la noche lo sorprendía solo, en la iglesia.

Entonces sintió las manos de Sabina en sus manos, las manos como aves asustadizas que iban a su cuello y se colgaban, el beso frío, veloz, que lo estrujaba en un instante desesperado. Todo ese tiempo ella lo había seguido. «Sabina», le dijo apartando el rostro, «es el altar». «El altar», le dijo ella, «el altar de mi amor por ti». Le parecía enfurecida, de tanto amor. Estupefacto, trastabilló, signado por la fuerza del pequeño cuerpo, flaco pero empecinado, que se colgaba de su cuello, que, al contrario de su beso, ardía, que lo empujó al borde de mármol del mismo altar, la mesa larga y de hielo que fulgía sobre una base como un triángulo invertido. Allí cayeron, ella encima de él, lenta y silenciosamente, porque Tancredo se dedicó a ablandar la caída, y ella, voraz, a besarlo. De pronto ella apartó los labios y puso su aliento mojado como otra caricia certera encima del rostro del jorobado y le dijo no te vayas de aquí o yo me quedaré debajo del altar y tendrá que venir a sacarme el padre Almida y me preguntará que por qué estoy aquí y yo le diré que por tu causa, sólo por tu causa. Pareció que lloraba cuando el jorobado la levantó en vilo y la depositó a un lado, como una brizna; ambos quedaron sentados, debajo del triángulo de mármol que a Tancredo se le antojó el ojo de Dios al revés contemplándolos. «El ojo de Dios al revés», se repitió y sonrió a su pesar y se dijo qué me está pasando me estoy riendo, y se recordó él mismo sonriendo no hacía mucho en la iglesia, varias veces había sonreído en mitad del santuario, qué me está pasando, se repitió, y trataba de mirarse las manos, perplejo, como si las supiera mojadas en sangre. En ese momento no pensaba para nada en Sabina, sólo en sus manos –que a él se le antojaban criminales– y el ojo de Dios al revés, espiándolos, y entonces sonrió más.

–Te ríes, te estás riendo –le dijo Sabina, y volvió a arremeter, confiada–: Esta iglesia parece un bazar –dijo–. Lilias abusadoras, aprovechan la ausencia de Almida. Se pasean como las dueñas de la parroquia, infladas como pavos, pero se tienden como alfombras en el piso para que ese padrecito pase sobre ellas.

Por un instante, una suerte de lástima y ternura sobrecogió a Tancredo. Allí estaba Sabina, su tempestuoso espíritu encerrado en su cuerpo frágil y rubio, sus labios enrojecidos que se apretaban, los dientes que los mordían hasta la sangre.

–Huyamos de aquí, Tancredo –la oyó decir, estupefacto–. Hoy mismo, ahora, sin despedirnos de nadie. Nos deben un dinero, lo he planeado todo, sé adónde ir, en dónde viviremos para siempre. No nos seguirán, ¿por qué? Hemos trabajado toda la vida para ellos. Era justo que un día nos cansáramos.

Se imaginó huyendo en compañía de Sabina. No pudo evitarlo y sonrió de nuevo.

Ella confiaba en él cuando él reía. Esta vez no sería distinto. Resopló, era una llama que se consumía, el único cirio encendido de la misa. Tancredo la sintió despojarse de un tirón de su blusa, adivinó el gesto avasallador en la penumbra, los brazos alzados, la prenda que caía. Como por una llama negra el templo se hizo cálido, se incendió el aire, que olía al cuerpo pálido de Sabina, al escalofrío de sus pechos recién descubiertos, al sudor de sus axilas, al miedo y la alegría de toda su carne dispuesta, que se atrevía.

Años atrás estuvieron allí, una sola vez, en el hueco mismo del altar, niños jugando con el placer del miedo, el mismo miedo de ser descubiertos debajo del más sagrado rincón de la parroquia, el peligro de la aparición del sacristán, del padre Almida, o de las Lilias, el mismo peligro de hoy, esta noche, pensó Tancredo, no hemos cambiado en nada: el mismo miedo. Sonrió de nuevo, y de nuevo ya estaba ardiendo Sabina sobre él; a él le pareció que humeaba, que su carne debía estar hecha de tizones, de emanaciones dulces y agrias que lo envolvían. Pero respondió a su beso –un instante– más por conmiseración que por deseo, y volvió a separarla de sí, como una pluma, y le dijo, mientras se incorporaba de un salto: «Cúbrete», y después, más ruego que orden: «Ven con nosotros al gabinete. Las Lilias esperan». «Nunca», repuso ella, retrocediendo y arrodillándose bajo el nicho de mármol, «no voy a irme nunca si no vienes aquí por mí a las horas que sean, hoy o mañana o pasado mañana, y no me importa que en tu lugar lleguen Almida y mi padrino o todos los hombres del mundo y hagan fila en esta iglesia para verme y preguntar que por qué estoy aquí, yo te juro que a todos les responderé que por tu culpa, por tu grandísima culpa, amén, Tancredo, no lo olvides, no voy a irme nunca». La amenaza venía revuelta con tristeza y decepción. Tancredo dudó. Ya a punto de cruzar la puerta de la sacristía se volvió a mirarla, buscándola en las sombras del altar; apenas la adivinaba; era una mancha palpitante, oía su jadeo, sus ojos se vislumbraban como llamas azules –Tancredo creyó padecerlos, gélidos, dos piedras de granizo azul que flotaban hacia él y lo envolvían–, y sintió un revuelto de compasión indignada. «Te esperaremos» volvió a decirle, y le dio la espalda como si huyera, y en realidad huía, huía de ella, de su amenaza, un grito amortajado debajo del altar: «Yo también esperaré, vida, te lo juro».

Irritado, creyó al pasar que la sacristía olía a brandy, y salió al jardín: tenía que pensar un minuto, resolverse. Había dejado de llover. Avanzó a tientas entre los sauces. La puerta del gabinete, iluminada, se veía amarilla. No se oían voces. Sonaban las gotas de agua cayendo de las hojas de los árboles; se las oía chocar contra el lomo de otras grandes hojas marchitas, contra dispersos latones que nadie nunca descubría, se oía el rumor de un sifón que tragaba agua, era como si todavía lloviera, sin lluvia, «No hablan» se dijo Tancredo, «no hablan», y se acercó hasta lograr contemplar el interior del gabinete. Amarillas como la luz las tres Lilias parecían yacer de pie en torno a Matamoros, sentado a la cabecera. Y, sin embargo, a pesar del silencio, hablaban; sus labios se movían; sus gestos indagaban; las cabezas, interrogadoras, respondían. Tancredo avanzó más. Susurraban. Eran voces como secretos, una confesión. Lento, mientras se acercaba, pudo entenderlos.

–Entonces ustedes no son hermanas –suspiraba Matamoros. Su rostro se inclinaba hacia ellas; su mano, mientras tanto, iba por fin a la botella. Llenó su copa, pero no bebió–. No son hermanas –repitió–. Y lo parecen.

–Paisanas, padre.

–Éramos comadres.

Las voces de las Lilias se erguían en la noche igual que murmullos afligidos, idénticos; presurosos. Querían hablar al tiempo, decir las mismas cosas.

–Éramos cocineras, y todavía seguimos siéndolo.

–¿Y la familia? ¿Dónde están sus familias?

–A nuestros maridos los mataron el mismo día en el pueblo, y no se supo quiénes los mataron. Los unos decían que los otros, y los otros que los unos. Pero mataron a todos los hombres, al fin. Y eran muchos. Quedamos solamente las mujeres, porque a los niños también se los llevaron. Y fuimos a preguntar por ellos, los buscamos. Fíjese, un montón de madres preguntando por un montón de hijos. Quién sabía de ellos, quién los tenía. Los unos que los otros, los otros que los unos. Muertos o vivos, quién sabe. Gracias a la infinita misericordia del Señor dimos con el padre Almida, que acababa de asumir la iglesia de Ricaurte. Nos salvamos de llorar aquí y allá. Al padre lo seguimos, de pueblo en pueblo, de ciudad en ciudad. ¿Para qué regresábamos a las casas? Las casas seguían vacías, el pueblo moriría vacío, allá no estaban ellos, y ellos tampoco iban a regresar. Sin ellos quedamos solas, sin maíz para moler. Pero Dios es grande, Dios es Dios; el reverendo padre Juan Pablo Almida apareció, y por eso Dios bendiga al padre Almida, aunque...

–Dios lo bendiga –interrumpió Matamoros, y añadió–: No voy a brindar solo.

Ellas sonrieron con otro murmullo. El padre se impacientó.

–Busquen, busquen ustedes sus copas y siéntense conmigo, y brinden conmigo, antes de despedirnos. Yo no quiero refacciones; sólo un momento con ustedes, para distraer el mal tiempo, y me iré. Pero si ya la lluvia se fue; Dios sabe cuándo la pone y cuándo la quita. No será necesario un taxi.

−No diga usted eso, padre, no hable usted de marcharse sin probar lo que sólo nosotras hacemos. Si por primera vez en años cocinamos porque queremos, porque tenemos todas las ganas de hacerlo, y eso nos hace felices. A usted sí queremos servirle. Pero sentarnos a beber con usted, es difícil. No estamos acostumbradas a eso. Cocinamos únicamente, padre, y aguardamos el sueño de los justos.

Cuando decían esto se acercaron todavía más al padre. El murmullo se hizo más delgado, casi inaudible. La confesión.

−Pero usted no se imagina lo cansadas que estamos de esto, padre.

−Por eso les digo, siéntense.

−No padre, no se moleste −dijo una.

−También estamos acostumbradas a estar de pie, después de todo −dijo otra.

−Sufrimos de varices, pero qué le podemos hacer. −La tercera levantó con dificultad la pierna y sin ningún titubeo se arremangó la falda y mostró al padre la pantorrilla y una gran parte del muslo, hinchados como vejigas, las venas azules ramificándose, gruesas y triturantes; las venas que Tancredo ya conocía.

−Es un trabajo que cansa −dijo otra−. Sobre todo los Almuerzos de Piedad. Si fueran solamente los almuerzos de quienes viven en la parroquia, pues vaya y venga. Pero los de Piedad son almuerzos de tortura para nosotras. Ninguna piedad, padre. Debemos ir de un lado a otro; hay sillas en la cocina pero nosotras tenemos que andar de aquí para allá, vigilando. Disponiendo platos y llenándolos, mientras hierve el aceite y cuidado se queman las papas, mientras hierve la sopa y cuidado las papas se deshacen, todo al tiempo, debemos volar, y eso que cocinamos únicamente con papas, sólo de vez en cuando carne de puerco, quién sabe qué sucedería si fritáramos yucas y plátanos, y todo al tiempo, no hay un día, un domingo señalado por Dios, no hay una sola mañana de descanso, porque los hombres de Dios comen todos los días y nosotras debemos preparar la comida, es simple, si no cocinamos se mueren. Quién sabe cuántos kilómetros corremos en un solo día.

La más pequeña de las Lilias tomó la palabra:

–Y no sólo las varices –dijo–. Por lidiar con la estufa de carbón, de fierros que ya están viejos como nosotras, fierros que se destemplan, fierros que se sueltan, fierros que sobresalen como púas, a veces nos quemamos. –Y mostró el brazo arrugado cruzado por la llaga de una quemadura al rojo.

Era la noche de los lamentos, pensó Tancredo. La noche que también él vivió, en su propio cuarto, cuando las tres Lilias entraron silenciosas, cada una con su silla, y se sentaron frente a él y comenzaron a explicarle su cansancio, a mostrarle sus quemaduras, ¿no era posible que Tancredito hablara con el padre y revelara que ellas vivían enfermas y necesitaban de dos o tres fuertes muchachas que las ayudaran en la parroquia? Ellas solas no daban abasto.

Los lamentos aumentaron de tres años para acá, cuando empezaron los Almuerzos de Piedad; en cual-

82

quier lugar acorralaban al jorobado y suplicaban que intercediera por ellas ante Almida; ellas habían empezado a morir, decían, a enfermarse de la peor manera, cansancio y aburrimiento por lo mismo. Con tanto almuerzo por preparar. Si bien no eran almuerzos especiales, sólo sopa de papa, papa majada, papa frita, papa en salsa, rellena y chorreada, papas en mil y unas vestiduras, eran muchos almuerzos, muchísimos, demasiados; ya quisieran ellas ser gigantes y repartir papas al mundo, pero son mujeres viejas, mujeres pequeñas, y ese trote todos los días cansa; y además tenían que ocuparse del almuerzo del padre, exclusivo, del sacristán, de ellas mismas, y también de los almuerzos de los gatos, y todo al mismo tiempo, todos los días: o estaban realmente viejas o de un momento a otro la vida se les puso aburrida. Esa noche Tancredo no atendió sus quejas, casi no las escuchó; lo asombraba verlas enfrente, sentadas en las tres diminutas sillas, alrededor de su cama, las tres envueltas en sus cobijas negras, al pedazo de luz de luna que entraba por la ventana, los rostros ansiosos, temerosos, acaso, del mismo Tancredo. «No queremos creer», decían, «que sea Celeste Machado, Dios nos perdone, quien hace que el padre Almida nos tenga en el olvido.» «¿Por qué no hablan ustedes con él?», les dijo. Y ellas: «¿Con el reverendo?». «Sí, con el padre Almida.» «Dios nos bendiga, eso es imposible, no seríamos capaces. ¿Cómo rechistar a quien nos da el pan y el vestido? Acaso él mismo debería darse cuenta de lo que realmente nos pasa a nosotras, pero también él tiene sus ocupaciones, es responsable espiritual de esta parroquia, sabemos de su labor indeclinable, ¿cómo exigirle que nos tenga en cuenta?, y, sin embargo, al pasar él por la cocina y mirarnos y saludar, tendría que darse cuenta de que estamos viejas desde hace más de muchos años, debería entender que ya no somos las mismas, y suponer que por lo menos una robusta muchacha nos ayudaría con las labores más duras, lavar platos, por ejemplo, todas somos artríticas, después del calor de las estufas no se puede mojar una con agua fría, eso nos dañó los dedos, fíjese, casi no podemos moverlos, es un martirio pelar papas, no porque seamos perezosas sino porque ya no podemos con ese martirio, así de simple.»

—A mí me falta un dedo —se atrevió a decir una Lilia. Lo mismo le dijo esa noche a Tancredo, y ahora se lo repetía a Matamoros—: Fue culpa mía. Picaba cebolla y quise acordarme de un sueño que tuve esa mañana. Cuando desayuné todavía me acordaba, y me sentí feliz porque el sueño era feliz, de los que hacen que una se ría a solas como tonta, y quise reírme a la hora de picar cebolla, pero ya no me acordaba del sueño... no podía; creo que soñé que alguien decía dentro de mi cabeza dos palabras, sólo dos sabias palabras que no recordaba, dos palabras que por tratar de recordarlas me hicieron de pronto rebanarme un dedo, este mismo, padre. —Y extendió los dedos de una mano; le faltaba el índice.

—Por supuesto —dijo Matamoros—, no lo veo.

—No molestes al padre con tu dedo —dijo otra Lilia.

84

–Sí –dijo la otra–. Ya dijiste que fue culpa tuya, ¿para qué hablar?

–¿Culpa mía, o culpa del sueño? No sé. Lo cuento para que el padre sepa que no es vana nuestra invitación a comer. Si queremos es porque queremos. Para él no estamos cansadas. Para él no me importaría perder otro dedo. No es una formalidad. Aquí nadie quiere que se vaya.

–Samaritanas, meditar Juan 4, 7-30 –dijo el padre.

–Así se dice, padre. No se arrepentirá.

Las tres Lilias salieron del gabinete. Y las tres, signadas y dirigidas por un mismo radar, se detuvieron de sopetón en el umbral. Pusieron al tiempo los brazos en jarra.

–Tancredito –le hablaron a la oscuridad–. Hágale compañía al padre. Ya los llamaremos para ir a la cocina.

Todo ese tiempo supieron de la presencia del jorobado, todo ese tiempo lo adivinaron, oculto en el patio.

Ya con Tancredo en el gabinete, Matamoros pudo llevarse la copa a los labios. Bebió sin pausa y volvió a servirse. Bebió de nuevo, más sosegado, y llenó la copa otra vez. Parecía que Tancredo esperara a verlo beber por tercera vez, pero Matamoros no lo complació.

–*Nunc dimittis* –dijo.

–*Nihil obstat* –repuso Tancredo.

Hubo un silencio, y se oyó entrar el raudal de la voz de Sabina:

—No debería usted ejercer el sacerdocio —dijo con repugnancia.

Avanzó y encaró a Matamoros. Había también una gran curiosidad en su cara trastornada.

—¿Por qué no pide la dispensa sacerdotal? —preguntó. Y añadió, mientras ojeaba la botella, que iba por la mitad—: Bebe como un jornalero. ¿Es que olvidó dónde estamos? ¿Así de borracho se encuentra? ¿Es así como aprovecha la confianza del padre Almida? No me importa que se aproveche de las Lilias, yo sólo espero no verlo por aquí, jamás. No compartiré la mesa con usted. Diga a las Lilias que hoy no comeré, que me he ido a donde sólo Dios podrá encontrarme. Allí esperaré, hasta que me muera.

—O hasta que la encuentre Dios —dijo Matamoros, sin mirar a nadie.

Sabina salió como había aparecido, fugaz, inflamada por la ira. No dirigió a Tancredo una sola mirada. Desapareció en el jardín. «Sin duda corre al sitio donde sólo Dios podrá encontrarla», dijo el padre Matamoros. Se incorporó con la copa en la mano, y, mientras bebía, se asomó a la noche.

—Es mejor que me vaya —dijo.

—Eso nunca, padre. —Llegaron las tres Lilias.

Y lo asieron por los brazos con gran delicadeza. Parecía que lo iban a cargar.

—Usted vendrá a la cocina —dijeron—, como lo manda Dios.

Y se lo llevaron. Él se dejó llevar, resignado:

–Tancredito, traiga usted la botella –alcanzó a suplicar sin volver la cara–, hágame ese favor.

III

–Esos gatos nos están haciendo malas jugadas, son seis, de la misma familia, eran indiferentes pero últimamente se han dedicado a molestarnos, solapados, bandidos, necios, viles, hay uno, sobre todo, que se orina donde no debe, hace daños en tu almohada, es el diablo.

Las tres Lilias iban hablando de gatos mientras enseñaban la cocina: aparte de la despensa piramidal y las dos neveras, había cuatro estufas eléctricas que no daban abasto y debían ser socorridas por una de carbón, en una esquina, ancha y antigua: sus puertas de metal labrado enclaustraban un profundo horno; su vórtice irradiaba una temblorosa atmósfera roja que ya no era cálida sino violenta, de peligroso fuego que se cierne. Junto a ese horno estaba puesta la mesa, rústica, alargada, debajo de una ventanilla que daba al patio. En el esplendor rojizo, en el aparador donde colgaban los trastos, en hundidos recovecos anidaban los gatos, graves y peludos, atentos, y las Lilias y Matamoros los contemplaban.

–No se sabe cuál es el papá y cuál el hijo, pero uno de ellos se ha puesto pérfido, y lo tenemos descubierto. Es ése.

Las Lilias señalaban al mismo gato, impávido, idéntico a los otros.

–¿Están ustedes seguras?

–Se le ve en los ojos –dijeron. Y las tres avanzaron al gato, dictaminadoras–. Pero hoy este gato no nos va a molestar, ¿cierto? –le preguntaron, y lo indicaban amenazadoras con los dedos, le hacían toda suerte de gestos, mimos aparentes, advertencias fatales. Después parecieron olvidarlo. Ahora señalaban la mesa: un jarro de fresias la coronaba–. Vea padre, para usted, una bobada.

Como estrategas dirimiendo una batalla ante los mapas desplegados, así las tres Lilias explicaron los platos, sus dulzuras y amarguras, sus benevolencias y sorpresas; era su ordenada manera de entenderlos. Siga con los bocaditos de naranja, padre, que son buenos para aclarar el paladeo; entre queso y queso mastique una rodajita de manzana, le recomendamos las empanadas de pescado, las medialunas, los corazones, o esa ensalada que lleva ternera y jamón, mire qué hermosas salchichas, su salsa al punto, al punto, ¿y ese conejito, qué hace allí?, esperándolo, padre, y usted Tancredito acérquese que la comida empieza por los ojos, los antojos están a los ojos, sólo hay que extender la mano y traerlos a la boca, demos gracias a Dios.

Empezaron a sentarse. Gracias decían las tres Lilias, gracias replicaron Tancredo y el padre. Como al conjuro de esa palabra uno de los seis gatos desapareció de su nicho, pero las Lilias no le quitaban el ojo, te vemos, dijeron, te estamos viendo. El gato, que se movía en dirección a la mesa, se detuvo ante la mirada de las Lilias, pareció cambiar de idea y buscó un mejor sitio donde caer: la oscuridad. Porque la luz de la cocina no alcanzaba para todos. Las mitades de los rostros eran sombras, posibilidades. El gato se esfumó en la negrura y eso preocupó a las Lilias. Te vemos, dijeron todas, te estamos viendo.

Pero no lo veían y eso las mortificaba.

–Es el ladrón –dijeron–, le gustan las alcachofas, ¿pueden creerlo?, nos tiene desesperadas, hace méritos, como dice la gente, para que no sea más gato en la tierra. Un día se tragó los huevos a la rusa que eran para el padre Almida, otro día los medallones de cerdo, decorados. Si hacemos cuentas nos tendremos que acordar del queso costeño, enterito, para él solo, todo el tocino de marzo del año pasado, además de que nos daña la vida, se orina en la ropa, esconde las cosas, Dios sabe que esto nunca nos había ocurrido con un gato, si hemos tenido muchísimos gatos en la vida, Benedicto, Calixto y Honorio, los primeros, se murieron y siguieron Aniceto y Seferino, luego Simplicio, que vivió solo, se murió y lo reemplazaron Inocencio, Tera, Bonifacio y León, Santo, Beato, Félix, Agapito, Justo, Melquíades, Cayo y Fabiano; Santo murió envenenado, a Beato y Agapito los mató un carro, llovía a cántaros, los reemplazó Hilario, después Lucio y Evaristo, Clemente y Sisinio, con muchos gatos vivimos, Pío, Flamíneo, Triunfo y Celedonio y otro montón de nombres que maullaban, pero gatas nunca albergamos, muy pocas, dos o tres, se parecen a ciertas mujeres y dan tristezas, gritos y sangre.

–Están ustedes muy enteradas de los nombres de los Papas –dijo Matamoros.

–Sí, padre. Una manera de expresar el amor que les tenemos a los santos y apóstoles y consagrados representantes de Dios en la tierra es dándoles sus nombres a nuestros animalitos, los más queridos, con los que vivimos, comemos y despertamos, con los que nos reímos o lloramos, pues ellos escuchan, padre, y padecen lo nuestro, lo comparten, por eso nada más lindo que un gatito que se llame Jesús, por ejemplo, o Simón o Santiago o Pedro, nada como los apóstoles cerca de uno, aunque sea en cuerpo y corazón de gatos, pero seres de Dios al fin y al cabo, ¿cierto?, y, sin embargo, una debe padecer de vez en cuando por sus ingratitudes de gato, fíjese, este que dijimos que es el diablo nos enferma a disgustos, nos hace trizas las almas.

Los ojos de las Lilias horadaban la oscuridad. Definitivamente el gato había desaparecido. Tenían tantas ganas de seguir hablando, pero el gato, su ausencia-presente, las angustiaba. Y querían hablar, ¿hacía cuánto que no hablaban?, y con un sacerdote, un misacantano, tan respetuoso de ellas, tan atento.

–No se preocupen demasiado –les dijo el padre. Sus ojos no saboreaban los innumerables antojos que iluminaban la mesa; se regodeaban, mejor, en las rojas botellas de vino que los acompañaban. Tancredo puso la botella de brandy en un extremo del aparador, y los ojos del padre siguieron ese movimiento detalle a detalle. Parecía indeciso entre el vino y el brandy.

–Y ese gato malagradecido –preguntó por preguntar algo, porque sus ojos en persecución del brandy no resultaran demasiado evidentes–, ¿cómo se llama?

Las tres Lilias guardaron silencio. Por fin se atrevió a responder la más pequeña, mientras enarbolaba en sus manos un gran pedazo de pan con aguacate y camarones.

–Almida, padre.

Y las otras, muy serias, perfectamente seguras de sí mismas, de lo que decían:

–Sí, padre. Se llama Almida. Como el reverendo Juan Pablo Almida.

Se oyó la risotada, breve, espontánea, de Tancredo. Ni el padre ni las Lilias lo determinaron.

–Quién iba a creerlo –dijo el reverendo San José Matamoros–. Almida, el gato que peor se comporta.

–Que más nos perjudica.

De nuevo Tancredo no pudo reprimir la risa.

–Qué sucede, Tancredito –lo enfrentó una Lilia–, ¿estamos contando bromas?

Matamoros sirvió vino en todas las copas.

–Hay para todo el mundo –dijo. Y levantó su copa y brindó–: Por Almida –dijo–. No por el gato. Por el reverendo Juan Pablo Almida. Gracias a él esta mesa está puesta.

Bendijo las copas y las tres Lilias bebieron de inmediato, y repitieron.

«Es tarde para ellos, se demoran.» Tancredo pensaba en Almida y el sacristán. Las nueve de la noche y no regresaban. Sabina seguiría debajo del altar, pensó, hasta que la encuentre Dios, como dijo ella o dijo Matamoros, y tan pronto se oyera el pito del volkswagen habría que correr a advertírselo, sal de allí Sabina que Machado acaba de llegar. O era posible que Sabina, decepcionada de él, se encontrara ahora en su cama, urdiendo el día siguiente, cómplice de ella misma. Todo era posible con Sabina. Incluso podía volver a aparecer, definitivamente exasperada de la presencia de Matamoros, y no solamente lo insultaría sino que sería capaz de arrojarle cualquier plato a la cara, las botellas, las estufas. A fin de cuentas era esa terca presencia la que interrumpía sus planes: San José Matamoros, el esplendoroso padrecito que escanciaba más vino a diestra y siniestra y se deleitaba en el embrujo de los platos que las Lilias recomendaban.

–Ese postre de allá cómo se llama.

–Sin nombre, padre, cada quién le pone un nombre distinto.

–¿Y esta alita? Parece de gorrión.

–Casi, padre. De tiernos pollitos, sus huesos tostados se desgajan, pruébelos.

–¿Y esas piñas?

–Naranjas azucaradas.

–Qué delicia estos pedacitos de chicharrón encima del arroz.

–La lechona, que no podía faltar.

–Y el vino, santas mujeres, y el vino, Dios.

Volvieron a beber y Tancredo decidió acompañarlos. No probaba bocado y, sin embargo, tampoco las Lilias parecían acordarse de alentarlo, pues toda su atención se centraba en el padre, y, además, en el gato, el gato desaparecido que de un instante a otro como un relámpago de ojos fosforescentes apareció y desapareció llevándose un muslo de pollo. Las tres Lilias al tiempo saltaron de sus sillas con un mismo alarido.

–Allá va, lo vi, lo vi –dijeron–, oh Almida endemoniado, ¿por qué no lo atrapé?, tú estabas más cerca.

Hablaban entre sí como si lloraran y revoloteaban desaparecidas en lo profundo de la cocina, desesperadas.

–Se robó un muslo de pollo, esta vez.

–El muy ladino.

–Y en las narices del padre, qué vergüenza.

–No se preocupen por el gato –les dijo Matamoros–. Ya se distraerá con su pollo.

–¿Cómo no preocuparnos? Es que no somos rápidas –se lamentaban–, perdimos la agilidad. Imposible atrapar un gato con esta vejez, y Almida, el bandido, es el peor de los gatos: sólo permite que lo toquemos cuando vamos a acariciarlo.

–Déjenlo.

–Y se robó un muslo de pollo.

–No se preocupen por el pollo.

Las tres Lilias regresaron jadeantes a la mesa. Se asieron de sus respectivas copas, que ya Matamoros había escanciado a plenitud.

–Almida seguirá robando –decían–, y no por hambre sino por molestarnos, después del muslo vendrán las alas, y después el conejito, padre, es mejor que usted se adelante o Almida le ganará y adiós conejito, ese conejito es el único, padre, la cereza que corona el ponqué, ese conejo amerita.

–Preferiría que habláramos del gato, y no del reverendo Almida. –La voz de Matamoros se solemnizó.

–A estas alturas una se olvida –le dijeron. Se relamían los labios, enrojecidos por el vino–. Cuánto vino en tan poco tiempo –se asombraron–. Como agua bendita. Pero habrá que cambiar el nombre del ladrón. Cuál le pondremos.

–*Nadie* –dijo Matamoros–. *Nadie* es el nombre primigenio. –Y por primera vez se echó a reír con desparpajo, mientras las Lilias bebían.

«Ebrias», se dijo Tancredo sin dar crédito, «ebrias». Durante el tiempo que imaginó a Sabina debajo del altar las tres Lilias bebieron lo suficiente para emborracharse. No en vano las oyó aludir con semejante doble sentido al gato y al padre Almida. El reverendo San José, por el contrario, ahora se veía muy lúcido y las alentaba, las consolaba, inútilmente, porque el gato ladrón incomodaba a las Lilias, pulverizaba su pequeña felicidad, las obligaba a replegarse, tristemente alertas.

–Si no fuera por ese gato seríamos felices –dijo una de ellas.

Se oyó como si hubiese gritado que serían felices sin Almida.

Una sonrisa mórbida, de ultraterreno placer, con la

96

alegría que sólo poseen los borrachos, iluminó a Matamoros. Empezó a hablar con las Lilias, a repartirles secretos en la plenitud de las orejas, a interrogarlas, a responder él, a envolver y dejarse envolver, a paladear de tanto en tanto un bocado, elogiándolo, y su conversación maravillaba a las Lilias, las enaltecía a plenitud, y no escaseaban los brindis, ahora chocando copas, regando vino en las frutas.

Y entonces todo quedó a oscuras, la luz se fue. Pero tardaron en darse cuenta, no tanto por el resplandor rojizo que todavía arrojaba la estufa de carbón como por el canto intempestivo del padre: el canto y la oscuridad brotaron intempestivos. Ni siquiera Tancredo reparó en la ausencia de luz. Desde hacía tiempo se abstraía en las palabras de Matamoros, y sobre todo en las últimas, cuando explicaba que siempre quiso cantar, volverse cantante de sol a sol, de luna a luna, de oriente a occidente y de norte a sur, decía, y echar a caminar con la canción al hombro hasta morir, «Eran otras canciones las que cantaba», acababa de decir, y fue cuando la luz desapareció al tiempo que apareció el canto, sonó en la sepultura de la oscuridad y retumbó en los corazones. El reverendo San José Matamoros del Palacio entonó un bolero, lo cantó por la mitad, después un tango, también por la mitad, caprichosamente, y un pasillo y una cumbia y una balada, y regresó a otro bolero como cuando se riega el agua y en un pueblo lejano detendré mi camino y allí moriré, cantaba, la cerrada oscuridad sirviendo de fondo a su voz, repitiéndola, un raro eco de ecos.

–Se fue la luz –se espantó al fin la voz de una Lilia. De inmediato se oyó su cuerpo avanzar a un costado de la mesa, con diligencia, sin tropezar, y vieron iluminados la llama del cirio que pintó de rojo su cara arrugada, brillante. Encendió otro cirio y regresó a la mesa. Se sentó, atemorizada como las otras Lilias, buscando en derredor: ningún gato asomaba. Las tres suspiraron.

–Cante, padre –pidieron como niñas en un juego–. Cante, con o sin luz.

Ya la voz del misacantano había embebido a Tancredo. Soñaba con las palabras de cada canción, las penurias y alegrías que relataban. Bebía como si durmiera, pero volando en realidad en mitad de sus propias desconocidas emociones. Lo preocupaba la ausencia de luz, que atemorizaba a Sabina; si ella se encontraba todavía debajo del altar, sin la penumbra iluminada de la sacristía, era posible que se aterrara; gritaría, sus gritos a lo mejor coincidirían con la llegada de Almida y el sacristán, a Sabina desde niña la asustó la oscuridad, ¿debía ir en su busca?, a veces los cortes de luz duraban toda la noche, era una burla: la luz eléctrica regresaba con la luz del amanecer, ¿o acaso pretendía la excusa perfecta para correr hasta el cuerpo abierto de Sabina?, no, se dijo, no seguiría con Sabina, y se descubrió, petrificado: sí, la deseaba, desde siempre, sin rodeos, defendido y santificado por el amor, ¿amor?, ah, se ensoñaba, si todavía lo esperara debajo del altar, sí, encima o debajo del altar, debajo y sobre todos los altares del mundo, Sabina, inusitada aparición en su vida, desde niño, remota muchacha con quien ni siquiera sostuvo un minuto de charla tranquila, siempre desesperados por la posibilidad de resultar sorprendidos por Almida, o, peor aún, por el sacristán, el padrino enemigo, con semejante sombra siguiéndolos era imposible el sosiego, siempre a escondidas; sólo se saludaban al pasar, cuando el azar los reunía en alguno de los recovecos de la parroquia, y se tocaban en el patio, en sus nidos de hierba, y por último en la misma habitación de Sabina, con el terror como cobija, igual que aquella vez en el altar, esa vez antepasada, cuando niños, a la hora de los juegos, el altar que visitaron aterrados para tocarse, aunque allí nadie nunca pensó en fisgonearlos. Deseaba a Sabina porque lo intimidaba, a diferencia de las otras mujeres, más terrenales, menos celestiales, las putas de los Almuerzos, a las que finalmente se acostumbró a mirar hasta ignorarlas. Tancredo se sorprendió persignándose, oculto en la medialuz. Oía las voces de las Lilias, la voz de Matamoros, y se esforzaba por entender.

–No hay pareja más feliz que un niño y un perro –oyó que decía Matamoros.

Y mucho después, sacándolo del ensimismamiento, oyó la voz de una Lilia:

–Este gato, como en la calle: si abrimos la boca nos roban la lengua.

Lo decía mientras el gato ladrón acababa de aparecer y desaparecer llevándose ahora un gran trozo de chicharrón. Las cabezas de las Lilias siguieron la ruta veloz del zarpazo, pero esta vez no se movieron de su sitio. En lugar de abalanzarse menearon la cabeza y se sirvieron más vino; se diría que sonreían.

—Uno se acuerda de canciones olvidadas —decía el padre Matamoros—, me estoy acordando de una a los amigos ausentes. Me la enseñó hace años el poeta Fernando Linero, que tocaba el piano como si tocara las nubes.

Antes aclaró la voz con un buen trago; era lo último de la botella, y una de las Lilias la reemplazó como por arte de magia, como si no quisiera perderse un segundo del canto; puso la botella a la diestra del padre, y esperó, justo a tiempo, pues San José echó a cantar como cualquier caminante a solas, sin destino, solos él y el camino, y sus ojos mientras cantaba se paseaban por Tancredo, por las Lilias, en la temblorosa oscuridad de los cirios. Qué hace ese gato en la mesa tan seguro de sí mismo —se angustió un segundo Tancredo—, se relame los bigotes, escucha atento la canción de Matamoros, y otros gatos además deambulan por la mesa, hay uno, un estandarte elástico, que se empecina juiciosamente con el conejito, acaba sin prisa con la dorada garganta, la paladea, escupe huesitos, y nadie parece determinarlo, nadie lo mira, el canto perdura, los cirios crepitan como si respondieran, ahora los gatos dejan incluso de comer, buscan sus guaridas con pasmosa serena mirada, enderezan el camino, ganan una esquina de la mesa y saltan de uno en uno, se reacomodan en sus nichos, atentos, los ojos puestos en la voz de Matamoros, bailan —se dijo entonces Tancredo, al observar de pronto a las Lilias—, están bailando, y así era: impulsadas por un vals columpiante que ahora Matamoros susurraba, las Lilias adoradoras deambulaban por la cocina en silenciosa danza, sumidas en un vértigo de espíritus, sostenidas en el aire como debajo de una cascada, los ojos entrecerrados, los brazos elevados, Tancredo no supo cuánto tiempo pasó pero de pronto vio que los gatos regresaban nuevamente desde sus nichos, saltaban uno por uno hasta el filo de la mesa y de allí a la oscuridad, y sus saltos eran de una lentitud desmesurada, saltaban perezosos en el aire, incluso parecían quedarse quietos en el aire dos o tres segundos, antes de desaparecer, y vio al mismo tiempo que las Lilias ya no estaban, extraordinario, no había una sola Lilia sentada o bailando alrededor de la mesa. Descubrió que Matamoros había dejado de cantar, pero sólo pudo sacudirse del hechizo de la última canción estirando los brazos y anudando las manos por detrás de la cabeza como si se desperezara, de modo que estaba a solas con el padre Matamoros, ¿hacía cuánto?, los dos en el más completo silencio, no, el padre Matamoros hablaba de sueños, contaba un sueño, ¿o lo cantaba?, ¿cómo era el sueño del padre Matamoros?, ¿desde hacía cuánto hablaba de sueños?, sentados a la mesa se contemplaban con atención en el filo de dos palabras, ¿a quién correspondía hablar?, sin que supiera cómo, Tancredo reanudó la conversación, como si realmente hubiese sostenido con el padre aquella conversación que no existió, ¿o sí existió?, de cualquier manera le dijo o siguió diciéndole como la cosa más natural que había soñado, padre, que tenía una esclava india, atada como un animal de una cadena, y la llevaba de paseo por un prado de sol, el sol, el olor del sol, toda la más horrible concupiscencia, padre, se cernía alrededor de nuestras cabezas, no era posible otra cosa que abrazarla, el blando musgo se ofrecía, el frondoso roble daba su sombra, ella extendía en la hierba su fatiga, la acomodaba como una sábana, la ofrecía como un descanso, y, con la misma cadena con que yo la conducía me atraía hacia ella, como si yo fuese el animal y no ella, y abría sus piernas y todo su infierno me abrasaba, padre.

En el silencio uno de los cirios agonizaba. Aquí Matamoros interrumpía:

–Por qué el infierno –decía.

–Por el calor.

–El calor, pero por qué el infierno.

–La horrible concupiscencia.

–El amor, la ausencia de amor.

–¿El amor?

–Como José en Egipto yo también adivino los sueños.

Entonces Tancredo ya no se avergonzó de oírse contar al padre de su miedo eterno, un animal. Le estoy diciendo de mi miedo, debo pedirle que hagamos de esto una confesión, pensaba. «Padre, que sea esto una confesión», le dijo. «Dios te bendiga, hijo, de qué te acusas.» «De quererme matar.» «¿Para no matar a nadie?» «Para no matar a nadie, padre.» «Habla en confianza. Hay el sigilo sacramental, secreto de los pecados oídos en confesión; pero a fin de cuentas Dios y los muertos nos oyen, nos ven, nos están oyendo». «No me importa que los muertos oigan», Tancredo se encogió de hombros, la cabeza le daba vueltas, «ni Dios». «Eso a Dios tampoco le importa», repuso Matamoros. A Tancredo le pareció que Matamoros dormitaba; tenía los ojos cerrados; cabeceaba. Entonces lo vio sacudirse, y beber con prisa. Renació.

–¿Qué temer? –preguntó–. No es pecado pretender morirse, para no matar. Son los días de fatiga, los días humanos. Hay días de días, y los días de fatiga lo mejor es descansar.

Tancredo pudo confesarse, al fin:

–Aquí nadie puede descansar –dijo–: Nos reventamos.

«Si le digo la verdad», pensó velozmente, «aquí todos queremos matar al padre Almida y su sacristán».

Hablaban a susurros, y ya no dejaron de beber, las cabezas inclinadas descansando en la mano, las otras manos con la copa de brandy, mientras las Lilias seguían desaparecidas. Estoy cansado de todo esto, padre, no porque no quiera sino porque no puedo, se estalla mi cabeza, es algo así, Tancredo sacudió la cabeza, ¿también él estaba borracho?, era lo más probable porque habló por fin de Sabina, toda su vida con Sabina, y no sólo su vida sino que incluso reveló dónde estaba Sabina a esas horas, ¿qué horas son padre?, las horas del corazón hijo, Matamoros bebía, ahora atento, dónde está esa muchacha enfurecida –preguntó–, en dónde te espera, no me lo va a creer padre, en dónde hijo, en el altar padre, más precisamente debajo del altar, es su manera de explicarme que quiere que yo vaya con ella, dice que si no voy se quedará allí hasta que llegue Almida y la descubra.

–¿Será capaz?

–No sé.

–Háblame de ella.

–Son los ojos de Sabina, es su lengua, que moja sus labios cuando me habla. Me convence de sus intrigas, sus maquinaciones. Es doloroso sobreponerse a lo que emana del cuerpo de Sabina, a su cara esperanzada en que escapemos, a toda ella.

Oían, lejanas, pero latentes, como reverberaciones, las voces de las tres Lilias, el ruido de sus pasos en el patio, ¿qué hacían lejos del mundo, en la oscuridad del patio inmenso, por donde no demoraría en entrar el volkswagen del padre? Había que darse prisa, Tancredo siguió confesándose.

Simplemente Sabina quería estar con él, padre, y dar rienda suelta a los placeres. Placeres que tampoco él era capaz de ignorar: no hacía mucho había imaginado a Sabina desnuda, mientras ella hablaba, y la misma Sabina pareció descubrir su deseo en la mirada, padre, casi olerlo, porque por unos segundos dejó de hablar e, incluso, separó levemente las piernas, como si se acomodara, y sonrió de manera imperceptible, pero enrojeciendo más, a la espera. Abrazarse y rodar, olvidándose del mundo, era eso lo que impulsaba a Sabina. Revolcarse, y ya no debajo del altar sino en todo lugar, en todos los altares, cualquier sitio daba

104

igual, padre. Era su tempestuoso espíritu encerrado en su cuerpo frágil y rubio, sus labios enrojecidos que se apretaban, los dientes que los mordían hasta la sangre; era otra pasión, distinta al rencor, a la amargura, la que la hacía sufrir y padecer, era el deseo, padre, y todo eso a pesar suyo, porque también él la deseaba. Un día ella lo llevó al pequeño cuarto donde Almida y el sacristán guardan el dinero, en el segundo piso, padre, donde era seguro que no aparecería ningún extraño, y él permitió que sus manos lo tomaran de las manos y lo alentaran a seguir tras ella. En el salón de estudio, detrás de una puertecilla discretamente disimulada con tres lienzos sin enmarcar, se asomaron a las cajas del dinero. Eran seis cajas de madera, rectangulares, sin candado, alineadas a lo largo del pequeño cuarto secreto. Alrededor, tapizando las paredes hasta el techo, había un montón de misales que la parroquia imprimió para regalar en las Primeras Comuniones. En un rincón, arrumadas en desorden, empolvadas y desvencijadas, siete o diez biblias yacían negras, enormes y olvidadas. Las seis cajas, por el contrario, estaban limpias y se diría que abrillantadas. Sabina se arrodilló frente a ellas, padre. Levantó una de las tapas: fajos de billetes estaban ordenados hasta el borde. Y se volvió a mirarme, sus manos abiertas sobre los fajos, desordenándolos. Después acabó sentándose encima de las cajas. Su pecho atropellado, su lengua repasaba sus labios, mojándolos. La desconocía. Cruzó las piernas y echó para atrás su cuerpo, apoyada en las manos. Me miraba desafiante. «Huyamos de aquí», me dijo, «cualquiera de estas cajas nos dará para vivir. Sólo una caja. No estoy hablando de todas. Hemos trabajado la vida entera para ellos». Me dijo que eran mezquinos. Que jamás le regalaron un juguete, de niña, un ponqué de cumpleaños, un abrigo decente, una bufanda, y mucho menos estudio, una profesión para independizarse. «¿A qué nos quieren condenar?», me preguntaba, y se respondía: «a envejecer sirviéndolos». Me dijo que ese maldito de su padrino, así me lo dijo, se aprovechó de ella cuando niña, no una sino cien veces. Y pugnaba por no llorar. «Igual hace Almida con las muchachas obreras de los Almuerzos de Piedad», me dijo. Aquello me provocó una cólera absurda, padre. Lo cierto es que no podía desmentir las aseveraciones de Sabina. Ése ha sido siempre mi gran padecimiento: saber que ella dice la verdad. Me enfureció oírla, y entonces quise alargar la mano, sólo mi mano derecha, y rodear con los dedos el fino cuello de Sabina, y apretar hasta que crujiera y no oírla nunca más. Por qué, padre, por qué ese deseo mío de quitarle la vida. Fue un propósito como un escalofrío que lo desconoció de sí mismo, y, al tiempo, lo reconoció en otra mirada, lo maravilló por un instante de sí mismo, pero sólo por un instante, porque después lo aterró, padre. Sabina lloraba. De cualquier manera, con lágrimas o sin ellas, era fácil prever adónde iba Sabina con sus palabras, cuál era la insinuación de su cuerpo que se extendía desesperándose encima de las cajas como si invocara un juego repentino. «Sólo una caja», volvió a decirme, «y huimos». Tan desesperada como lasciva, se había alargado hacia él, se había apoderado de sus manos, tiraba de él, sus labios mojados se movían como si rogara en silencio. Y la vio desnuda, de pronto la vio desnuda, padre, encima de fajos y fajos de dinero. Dinero que no le pertenecía. Dinero que, desde la aparición de don Justiniano en la parroquia, empezaba a incrementarse con velocidad desmedida. Y él había preferido no preguntarse, no volver a preguntarse sobre el origen de ese dinero, ni por qué se acumulaba entre cajas, sin consignarse en un banco, sin gastarse, por lo menos, en las necesidades más elementales de la parroquia. Pues no era un secreto, padre, que los Almuerzos de Piedad se hacían con los mínimos gastos, que la sopa de papa y el arroz con papa eran los únicos ingredientes desabridos, potaje de cuartel, que se reservaba a los ciegos, a los gamines y prostitutas. Con dificultad se deshizo de las manos que lo atrapaban, difícilmente, padre, logró escapar al hechizo del cuerpo que reptaba hacia él, el rostro encendido que estuvo a punto de vencerlo. Y la oía gritar a sus espaldas, padre. «Oh inmenso bruto», gritaba, «cobarde mil veces cobarde», y, en su frustración, Sabina arremetió contra los misales. De una manotada derrumbó una hilera. Sus pies tropezaron contra el montón de biblias empolvadas. Las pateaba. Una nube de polvo se alzó, empañando el aire. «Puercos», gritaba, «todos son unos puercos, aquí».

Hubo un silencio, después de la confesión.

–Bebamos –dijo finalmente San José, iluminado–. Dios nos ha dado esa alegría.

Se puso de pie, resucitando, y apuró la copa. Después elevó una mano como si bendijera a Tancredo.

–Nada de lo que se ha dicho aquí se ha comprobado –dijo–. No reneguemos. Almida y Machado son íntegros, hasta que sólo Dios nos muestre lo contrario. Dios es Tranquilo. Su Tranquilidad proviene de su presciencia. Al final todo será justo, tal y como él predestinó. Tengamos fe en Sus Designios, por ahora.

«¿Por ahora?», se dijo Tancredo, «¿qué quiere decir por ahora?»

Un silencio total los rodeaba. No había rastros de las Lilias en la noche. Sabina seguiría debajo del altar.

–Iré con ella –resopló el padre–, con Sabina. Le llevaré una copa de vino.

Y ya tenía, en efecto, una copa de vino en la mano. Con la otra se apoderó del único cirio vivo.

Tancredo siguió pétreo en su silla. Quiso decir algo, advertir al padre, pero fue imposible. Sentía, al tiempo que náuseas, ganas de reír.

–Iré con ella –repitió el padre–. Nadie más puede encontrarla debajo del altar, ¿cómo procedería su padrino, Celeste Machado? Es un hombre irascible, lo conozco de memoria. –Se refregó el rostro agotado con las manos–: Qué le diré yo, no sé. Cantaré para ella esa letrilla de santa Teresa de Jesús. –Aquí Matamoros acercó su voz a la oreja del jorobado y recitó–: *Nada te turbe, nada te espante, todo se pasa, Dios no se muda, la paciencia todo lo alcanza, quien a Dios tiene nada le falta, sólo Dios basta.*

Y después de decir la letrilla empezó a cantarla,

suavemente, igual que una tenue carcajada, y así salió de la cocina, como la procesión de uno solo, llevándose la luz.

No quiso Tancredo seguir al padre, no pudo o no se le ocurrió, nada lo turbaba, nada lo espantaba, y bebió, Dios no se mudaba, y volvió a beber, sólo bastaba Dios. Imaginó a Sabina frente al padre Matamoros, oh Señor, le arrojaría la estatua de santa Gertrudis a la cara, por lo menos gritaría, o lloraría, y sonrió, pero qué horas eran, ¿las doce?, el tiempo, el tiempo, el tiempo es inaudito, y Almida no regresaba, dónde viven los gatos, las Lilias se fueron adónde, en dónde el mundo, ¿allá, acá?, y, en la oscuridad, recorrió la cocina, tanteando de memoria cada nicho, cada estufa, cada silla, no había gatos, no había Lilias, en qué otro orbe dirimían su encono, su acecho mutuo, los recordó atisbándose: las Lilias ante los gatos y los gatos ante las Lilias, una enemistad realmente insólita, pensó, cómo no me percaté, y, en eso, igual que si los invocara, oyó como respuesta un lejano maullido, un maullido que no era propiamente de holganza, de dulzura, un maullido escalofriado escalofriante, los gatos, pensó, los gatos están solos, y salió al patio: la oscuridad se prolongaba por todas partes, el silencio, el frío. Entonces, saludándolo, una incipiente luna brotó de entre los nubarrones y coloreó los rincones de gris, se oyó un chapoteo, el temblor sutil del agua, y a lo lejos vislumbró como renaciendo en la negrura a las tres

Lilias rodeando la alberca, todas inclinadas a la alberca, los brazos estirados sumergidos pero quietos. Cada una ahogaba su gato en la alberca helada.

De vez en cuando las aguas se removían, temblaban, adecuadas a la muerte; en el silencio las pequeñas olas se remontaban multiplicándose como tormentas: era que los brazos emergían, cada uno con su gato, una sombra con patas, aterrorizada, todavía debatiéndose. Los brazos volvían a sumergirlos, una y otra vez, lentísimos, las sombras se escurrían, vencidas, y emergían de nuevo los brazos y las sombras, las sombras sin que las gesticulara el terror, los brazos paralizados por la fatiga, los gatos descoyuntados, como dormidos, más muertos que vivos, pero vivos, porque uno de ellos agitaba la cabeza, de modo que otra vez los sumergían, hasta izarlos al fin como jeroglíficos rígidos, «Mis muertos» dijo una de las Lilias, girando la cara en derredor. A la luz de la luna las otras caras lechosas de las Lilias buscaban, qué buscaban, qué interrogaban en cada recodo, en cada gesto ultraterreno que orillaba las cosas, en las anchas puertas del patio que daban a la calle, en el garaje, en los muros coronados por botellas despedazadas, los filudos cristales pegados con cemento para cortar las manos de los ladrones, qué buscaban. Los brazos dejaron caer las sombras en la piedra de la alberca. Los ojos regresaron al muro interno que separaba el patio del jardín, el muro más viejo, de adobe.

–Cómo está usted, Tancredito –dijeron.

Siempre sabían dónde se encontraba él, y cuándo y por qué, sin necesidad de mirarlo.

La más perfecta curiosidad definía los ojos de Tancredo, pero también la arcaica desconfianza; padecía a su manera la ceremonia en la alberca inmensa donde un día las Lilias los bañaron a él y a Sabina, desnudos, cuando niños.

–Por qué los ahogan –pudo decir, y avanzó a las Lilias.

–Cómo no ahogarlos –replicaron, indicando las seis sombras derrotadas en la alberca–. Desde hacía tiempo los teníamos advertidos. Alguno de ustedes está haciendo méritos, les dijimos, no nos dejan cocinar, desesperan con sus robos, les llenamos la barriga y roban, les quitamos la comida y roban más, qué hacemos, gatos. Gatos como ustedes no nos había ocurrido nunca en la vida, tú, Almida, en especial.

Y señalaban a una de las sombras en la piedra.

A Tancredo le parecieron desconocidas. Otras mujeres: tres demenciales ancianas de hace quinientos años, vivas pero reconstruidas en despojos, telarañas; muertas hablantes.

–Ayúdenos, Tancredito –suplicó una de ellas, con mucha seriedad–. Ayúdenos a enterrarlos. Hacían méritos. Fíjese, uno de éstos se comió el conejito del padre San José, nada menos que el conejito. Y a qué horas, si nosotras no nos dimos cuenta. A qué horas devoró ese conejito que estaba tan bueno y en el que nos demoramos tanto y pusimos tanto amor y paciencia, porque sabíamos que era para un santo.

Otra se adelantó, a susurros:

—Si sólo se hubiera comido los chicharrones, los pollos grandes y los pollos pequeños, de vez en cuando, como lo estaba haciendo, pues vaya y venga. Pero se atrevió con el conejito, y hasta ahí llegamos nosotras. Se nos salió el indio, ya ve, y que Dios nos perdone por este ajusticiamiento, que es en bien de la parroquia.

Ágiles para sus años, las tres Lilias eligieron un lejano recoveco junto al muro, se armaron de palas y se pusieron a cavar. Fascinado, Tancredo contemplaba la tarea de las Lilias, desesperadas, cada vez más lentas, las piernas torpes, la desolación en las palabras: cómo nos han hecho sufrir, decían, y volvían a la carga, hasta desfallecer, las manos en la cintura, las canas cabezas dirigidas a los gatos, qué vergüenza con el padre, les decían, ¿a ustedes no les da pena?, nunca podremos perdonarnos que el conejito que era de él y sólo de él terminara en la barriga de uno de ustedes, ¿de cuál?, justos pagan por pecadores, oh demonios amargos, Almida, tuvo que ser Almida, decían, es éste, parece vivo, es éste, éste, se ríe, se está riendo.

De pronto parecían atemorizadas. Y, entre queja y queja, se dedicaron a golpear con los puños la sombra de Almida. Las quejas de las Lilias eran su propio sufrimiento en carne propia —pensó Tancredo—: idénticas a él: toda la vida sirviendo sin otro horizonte que toda la vida sirviendo.

—El padre Matamoros las espera —les dijo.

—No, todavía no. Debemos acabar de corazón lo

que empezamos con el alma. Ya comenzamos, usted mismo nos vio. Mejor vaya usted Tancredito y entreténgalo. Háblele de usted y de Sabina, por ejemplo. ¿Por qué no? Sus consejos lo iluminarán. Ustedes dos no pueden seguir como siguen, fíjese, un día de éstos se acaba el mundo y para qué sufrimos.

Que lo convocaran a transparentar su relación con Sabina fue como una amenaza. Tancredo no supo qué responder. Aquellas mujeres lo sabían todo, desde antes de que él naciera. Trató de indagar en los semblantes de las Lilias, ¿había burla, compasión en sus palabras? No descubrió nada. Indiferentes, siguieron hablando como una letanía, yendo cada una por su lado, y de vez en cuando se plantaban ante la fosa, contemplaban fijamente a los gatos, los ojos muy abiertos, como memorizándolos, y volvían a retirarse, a uno y otro lado, entrecruzándose. Era evidente que Tancredo las estorbaba. Transitaban impacientes por el patio y su impaciencia no era tanta ahora por enterrar a los gatos como por que Tancredo abandonara el patio. Por qué las estorbaba, pensó Tancredo. Acaso enfrente de él no querían enterrar a sus gatos como era debido. Entonces por qué lo invitaron a ayudarlas. ¿Sería posible –pensó– que una vez que él hubiese salido las Lilias reptaran por los muros como inmensas serpientes, dando carcajadas? ¿Volarían, felicitándose de su delito? Y se resignó. ¿Iba él a defender a los gatos? Cruzó la verja, en silencio.

Ya en mitad del jardín se detuvo. Adónde ir. No quería acercarse a la iglesia, y tampoco regresar al patio, con las Lilias. Un doloroso acceso de risa lo dobló sobre sí mismo, asfixiándolo, Dios mío, se dijo, cómo fue que decidieron ahogar a los gatos, cómo lograron atraparlos si todas parecían borrachas, cómo pudieron.

Decidió regresar al patio, a tientas, tragando aire, y se asomó a la verja; pudo ver, mojadas en luna, a dos de las Lilias: cruzaban la noche frente a él. La otra Lilia, al fondo de la negrura, pisaba y repisaba la tierra que orillaba la fosa. Todavía no se deshacía de su pala. Las otras regresaban a la alberca, «Hubo un sitio para enterrarlos en el mundo», decía una de ellas, justamente al pasar ante Tancredo. Se detuvo de pronto, iluminada por la luna, se detuvo de perfil, huesuda, los canos cabellos cayendo por su cara, los ojos grandes descubriéndolo a él.

–Tancredito –elevó la voz y sonrió como si le sonriera a un niño–, usted ya no hace falta. Váyase.

Y siguió avanzando hasta la alberca, en donde ya la otra Lilia se lavaba las manos.

Entonces Tancredo descubrió a las señoras. Las descubrió en el momento en que daba la espalda y abandonaba el patio. Descubrió a las ancianas señoras de la Asociación Cívica del Barrio adosadas como murciélagos a los muros que rodeaban la alberca. Pálidas, pero tranquilas, demasiado serenas. ¿Cómo antes no pudo verlas? Estaban todas ellas, completas, las mismas siete o nueve devotas de la parroquia, abúlicas, desconcertantes abuelas que no hacía mucho se despidieron en la llovizna, a las puertas de la iglesia, ¿siete o nueve señoras?, ¿a estas horas? Celestiales abue-

114

las, amas de casa, ayudando a matar gatos en la parroquia. Todo el tiempo que estuvo Tancredo en el patio se escondieron, se inmovilizaron, ¿por qué? ¿Para no ser descubiertas compartiendo semejante crimen de gatos? Iba eso seguramente en contra de sus dignidades; y ahora, creyéndolo lejos, renacían, sus gestos taciturnos renacían, sus voces a murmullos adquirían vida, se despedían, furtivas, a la luz de la luna, y todavía llevaban con ellas sus paraguas, por si lloviera. Se despedían de las Lilias, rodeándolas. Susurraban. Daban recomendaciones. Y salían por la puerta ancha del patio, ahora de una en una, silentes, como ladrones, a sus casas. Salió la última, y Tancredo buscó a las Lilias.

—Las señoras de la Asociación —les dijo—, ¿qué hacían aquí?

La más pequeña de las Lilias se aproximó a Tancredo, y lo enfrentó a los ojos. La cara amarilla daba frío, espantaba. Meneó la cabeza.

—Usted pregunta lo que no debe —dijo.

En eso, todavía distante, pero acercándose, el motor del volkswagen estacionándose ante la puerta del patio electrizó a las Lilias y a Tancredo.

—Almida —dijeron ellas.

—Llegaron —dijo Tancredo.

Y no corrió a abrir. No podía. Se sentía enterrado en el pánico. El mundo, esa noche, resultaba demasiado intempestivo. Y se confesaba, para colmo, en su íntimo interior, que había tenido la esperanza de que Almida y el sacristán no regresaran jamás, que hubieran desaparecido para siempre, como muchos en el país, que el volkswagen, vacío de cuerpos, terminara en cualquier basurero de las afueras, y que los periódicos del viernes amanecieran con la noticia: *Desaparecen párroco y sacristán*.

–Usted váyase Tancredito al gabinete –le dijeron las Lilias–. En el gabinete debe encontrarse San José. Nosotras lo vimos salir de la cocina. Hágase cargo de explicarle. Haga de cuenta que acaba de sonar el teléfono, y usted va a contestar. No es raro que nosotras despertemos para atender al padre Almida, pero sí muy raro que usted y la niña Sabina se estén dando besitos en el altar, ¿cierto? Váyase ahorita, que no lo ven.

En ese momento las anchas puertas del patio se abrieron. El mismo sacristán las empujaba, encorvado y sigiloso, para dar paso al volkswagen que avanzaba, las dos farolas iluminando a pedazos las sombras.

–Las Lilias lo saben todo –se repetía Tancredo, las Lilias los habían espiado todo ese tiempo, toda la vida. Nunca estuvieron solos con Sabina. Y huyó al gabinete, como si, de hecho, el teléfono hubiese acabado de sonar.

Descolgó el aparato, convencido absolutamente de que había sonado, y no escuchó ninguna voz. Sólo un zumbido largo, que decreció y se escabulló en el silencio. Colgó. Si en ese momento hubiese entrado el reverendo Almida diría que había sonado el teléfono. Tendría una excusa para encontrarse despierto, en el gabinete. Diría que se encontraba preocupado por la ausencia del mismo padre, del sacristán. Ocultaría la presencia del misacantano en plena iglesia, con Sabina, en el altar. Eso era lo peor, lo inexplicable, explicar la presencia de Matamoros, ebrio, a esas horas. Pero nadie llegó al gabinete. Encendió una vela, encima de la máquina de escribir. Esperó un buen tiempo, sentado al filo del escritorio negro, contemplando con atención el teléfono. ¿Cuánto tiempo había pasado? No se oían las voces del sacristán y de Almida, no se oían sus pasos subiendo las escaleras. ¿Acaso ya subieron? Era como si hubiesen llegado dos fantasmas, transparentes, en lugar de Machado y Almida, vivos. Sin percatarse, descolgó nuevamente el teléfono, y seguía contemplándolo con atención. La vela se consumía.

–Quién era, Tancredito –oyó que preguntaba una Lilia–. Quién era, quién podía ser, si el teléfono nunca sonó.

Sorprendido vio allí a una de las viejas, la más pequeña de las Lilias, la pala todavía en una mano, los brazos arremangados y sucios de tierra.

–Nadie –pudo decir.

–¿Y el padre San José, Tancredito? No lo veo aquí. ¿Acaso fue al baño? Hágase cargo de él, se lo suplico. Nosotras no demoramos. A lo mejor el reverendo se fue, y eso no nos lo perdonaríamos jamás, ¿qué hace un alma buena a estas alturas en las calles de Bogotá?

–Está en la iglesia –dijo Tancredo.

–¡En la iglesia!

–En el altar.

–Ora, seguramente, ¡qué padre inmenso!

La Lilia se hizo la señal de la cruz:

–Dígale que no demoramos en acompañarlo. Pero no le diga, por Dios, dónde estamos ni qué hacemos, por Diosito lindo.

–¿Y Almida?

–Olvídese de Almida y Machado. Llegaron con mal de estómago de casa de don Justiniano. ¿Qué comieron? Nadie lo sabe. ¿Qué les dieron, de qué se hartaron? Nadie lo sabe. Acaso los envenenaron. Ya les subimos un agüita de yerbabuena, para que duerman como los ángeles. –Y salió, pero de inmediato regresó y se corrigió–: Para que duerman, solamente, que duerman como lo que son.

No se refirió la más pequeña de las Lilias a las señoras de la Asociación Cívica del Barrio. No las mencionó, como si diera por hecho que Tancredo no las descubrió jamás. Pero, qué conciliábulos hubo entre ellas, qué confidencias las reunió en la noche, todas idénticas por su vejez, su arrobamiento ante San José y su misa cantada, ¿o fueron, acaso, una aparición? Tancredo se encogió de hombros: no era precisamente eso lo que ahora le importaba.

Era posible que los ruidos del volkswagen, los pasos de Almida y el sacristán, pusieran sobreaviso a Sabina. ¿Cómo estaba Sabina? De inmediato Tancredo se apropió de otra vela y se dirigió a la sacristía; pasó a la iglesia; en las tinieblas, no se distinguía encendido el cirio de San José. A lo mejor se consumió. No oía voces, además. Tancredo elevó la llama para que

118

la luz se repartiera. Nadie en el altar. No estaba Sabina. Entonces –pensó incrédulo– Sabina se venció, dormía en su cuarto, o había ido a esconderse a otro cuarto, al mismo cuarto de Tancredo, ¿y Matamoros?, por ninguna parte. Todavía quiso descubrir a Sabina, en los lejanos rincones de la iglesia, donde la luz de la vela apenas llegaba. Le parecía imposible su ausencia. ¿Acaso quiero encontrarla?, se preguntó. Ah, de pronto no le importaba la llegada de Almida y el sacristán, sólo Sabina y su carne, se dijo, la carne de Sabina y, a través de su carne, esa especie de libertad.

–¿Sabina? –preguntó al templo. La voz resonó multiplicada, sin respuesta.

Subió al altar, para cerciorarse definitivamente. Puso la vela en un candelabro. Debajo del triángulo de mármol, en el mismo sitio donde dejó a Sabina, dormía a pierna suelta el reverendo San José Matamoros. Lo iluminó con la llama: la boca entreabierta, un hilo blanco de saliva.

–Padre –le dijo.

Vio, a su lado, en el piso de mármol, sus anteojos, un lente partido, una pata remendada con esparadrapo. El pantalón raído. Un zapato a medio salir, la media agujereada.

–Padre –volvió a decirle, y no se despertó.

–Déjelo dormir, Tancredito. –De nuevo la voz de una Lilia lo escalofrió. Ahí estaban ellas, las caras beatíficas asomadas al padre, esta vez las manos vacías de gatos, de palas, de tierra, las manos olorosas a jabón, unidas y extendidas como si oraran.

—Pobrecito —dijeron—. Se ha dormido. Miren qué sitio eligió. El altar. Donde nadie molesta a nadie.

Tancredo le puso los anteojos, le pasó una mano por el pelo revuelto.

—Padre.

No despertó.

—Déjelo descansar, Tancredito. Esta noche usted tendrá que dormir en la sacristía. Deberá, por caridad de Dios, prestar su cama al reverendo. Nosotras mismas lo llevaremos.

Dormir en la sacristía no sobresaltaba a Tancredo. En varias ocasiones, por la visita de una hermana de Almida, debió pasar la noche allí: habían instalado para eso una colchoneta, a modo de jergón, disimulada entre los ángeles de yeso, y, ocultas en el montón de atuendos sacerdotales, una almohada y una cobija. Sobresaltaba a Tancredo que las tres Lilias insistieran en cargar ellas mismas con el cuerpo de San José.

—Usted no, Tancredito. Ya nos ayudó lo suficiente —le decían. Pues ya iba Tancredo a cargar él solo con Matamoros; de hecho, le alcanzó a pasar las manos por debajo de los sobacos y empezaba a levantarlo cuando sintió en sus brazos los dedos huesudos pero férreos de las Lilias. Fue una lucha corta, no declarada, por el cuerpo del misacantano. Con fuerza silenciosa lo obligaron a dejar nuevamente a Matamoros en el piso.

—De acuerdo —claudicó Tancredo—. Está bien.

Los rostros de las Lilias sudaban.

—Nosotras mismas lo llevaremos —repitieron. Y, cui-

120

dadosas hasta la más exagerada delicadeza, las tres erigieron el cuerpo del misacantano.

–Usted ilumine el camino –le pidieron a Tancredo, socarronas. Y parecía una orden–: Por lo menos ilumínenos. Haga algo, por Dios. Aquí todo lo hemos hecho nosotras, y nosotras solas, por el amor de Dios.

Durante un instante fugaz los rostros de las Lilias se le antojaron demenciales, desconocidos. A una de ellas se le escapaba la saliva, que mojaba su cuello, lo tiznaba de blanco, igual que la espuma que brota de los perros rabiosos. La otra tenía los ojos desmesurados, y la tercera, en su boca abierta a plenitud, mostraba un extraño rictus de felicidad desquiciada, como si se encontrara a punto de arrojar una carcajada en silencio. No siguió atendiéndolas porque al avanzar por el jardín, al lado de las Lilias que sostenían agradecidas el cuerpo de San José, creyó descubrir a Sabina. Detrás de un sauce, su cara redonda y blanca por un instante asomó, pareció asomar: no era ella sino la luna, su luz plena, sin nubes; temblaban las estrellas en el cielo. En el patio, donde no quedaba un solo rastro de gatos, ni una sombra, el padre Matamoros siguió su ruta en brazos de las Lilias, como si flotara. Era una pluma. Su cara ladeada en un regazo, plácida, en ningún momento se estremecía o quería despertar. Tan quieto que parecía muerto, pero roncaba, y de pronto roncaba más, y más fuerte, al aire, libremente, roncaba una canción disparatada, otra canción. Tancredo abrió la puerta de su cuarto, elevó el candelabro para repartir la luz y vio cómo las Lilias tendían a Matamoros en el lecho, su lecho, y lo desnudaban con sabia diligencia y lo acobijaban.

–Ya váyase, Tancredito –le dijeron–. Nosotras vamos a orar a su lado.

–Está dormido.

–Pero ronca, y eso es malo.

Todavía Tancredo quería descubrir a Sabina. Era posible que lo esperara en su mismo cuarto, todo era posible con Sabina, ¿la habrían sorprendido, al llegar de improviso con Matamoros? ¿Se encontraba debajo del lecho, escondida? Como un juego de niños, pensó, un vergonzoso juego.

–El padre sigue dormido –les dijo Tancredo. Dudaba, nada se le ocurría para lograr un pretexto y buscar a Sabina debajo de la cama–. Cómo va a orar dormido.

–Ronca, y eso es malo. Si oramos dejará de roncar.

Tancredo se arrodilló y miró debajo de la cama y recogió las pantuflas que no necesitaba.

–Ella no está aquí –le dijo una Lilia. Las otras sonreían, victoriosas, y meneaban la cabeza.

–Búsquela en otra parte –le dijeron–. Búsquela, Tancredito, donde nadie, sólo Dios, sabrá encontrarla. Y hasta mañana.

Otro inmenso ronquido del padre demandó su atención. Afanadas se volvieron a verlo.

–Como un santo –empezaron a rezar, persignándose.

–Hasta mañana –les dijo Tancredo.

Y, todavía en su rincón de la sacristía, tendido en la total oscuridad, esperaba encontrar a Sabina, o que ella apareciera a su lado, extendida en el jergón que ya conocían. Desnudo debajo de la cobija, creyó que descifraba el silencio o que el silencio se hacía descifrable porque presagiaba algo. Se estuvo atento, buscando en la niebla, rodeado de santos y ángeles de yeso, debajo de la mesita donde reposaba el teléfono, ¿iba a sonar el teléfono, era ése el presagio?, pero por fin oyó que ella existía, y se gritó Sabina al fin aquí. La presentía, pero no pensó constatar su presencia de semejante manera: Sabina cantaba, leve, pero cantaba, en la iglesia, y cantaba como sonriendo, su canto atravesaba caprichosamente el pasaje que unía la iglesia con la sacristía, se instauraba en la niebla, escalofriándolo todo, tocando a las puertas cerradas de la iglesia, tocando el altar, el cáliz, volando en el eco sagrado de la gran bóveda pintada. «Allá no, Sabina», dijo Tancredo con un susurro. La angustia de su voz produjo una risotada dentro de la iglesia, breve pero centuplicada por el eco. «Ven a callarme», oyó, y el canto, como una amenaza, creció más. Cantaba como un juego, el juego de una niña, pero sin soltar la amenaza, cantaba parodiando villancicos *Ven o gritaré ven ya niño divino ven no tardes tanto.* Tancredo se incorporó, pero siguió quieto, indeciso en su desnudez, «Allá no», repitió, «acá». Otra risotada le respondió, acérrima, afilada. Y luego el silencio. «Ven tú», sonó de nuevo la voz, perentoria, esta vez sin cantar. Y echó de nuevo a cantar, como una burla, *nada te turbe, nada te espante, todo se pasa, Dios no se muda,* y elevaba la voz, *la paciencia todo lo alcanza,* elevaba el canto, elevaba la risa, *quien a Dios tiene nada le falta*, elevaba el canto transfigurado por la risa, una risa que podía ser descomunal, despertar al mundo, *sólo Dios basta*. Tancredo caminó en el miedo y la fascinación. Y fue con ella, al sitio donde ella dijo que sólo Dios podía encontrarla. Allí el calor, la pavorosa proximidad del calor de la desnudez, la desesperación de los besos que lo invocaban, salieron a él, arrancándolo de él. «Dios», se gritaba por dentro, y se arrodillaba ante ella, y agradecía la oscuridad, porque no quería verla, ni verse.

Pero la escuchó:

–Ese padre bendito me ha tocado el culo –decía, y lo repetía a murmullos como si cantara, feliz.

IV

–Señorita, cubra usted su desnudez. Mire que ya amaneció y usted despertó donde no debía, ¿no siente frío?, claro que no, usted solita es una hoguera, pero qué hoguera, una perra feroz se quedaría en pañales, mírese al espejo: carne y carne y carne.

Sabina entera como un sollozo se envolvió en la cobija. Tancredo apenas despertaba. Las Lilias se asomaban a ellos.

–Y usted, joven Tancredo, ¿la mercancía al aire? ¿No le da pena? Le advertimos que en menos de veinte minutos el padre San José ofrece la primera misa del viernes. Escuche, escuche, ¿no escucha pasos y voces?, es la iglesia que espera al reverendo, la iglesia repleta quiere oírlo cantar, y ¿cómo va a cantar el padre si debe pasar por esta sacristía y hay tendidos debajo de los ángeles dos pecadores?, Adán y Eva redivivos. Ah, razón tenía Dios al maldecirlos y arrojarlos del paraíso, porque se ven igual, sin una hojita, pero ¿a qué asustarse?, ¿para qué la cobija, Sabinita?, de cualquier manera ya la conocemos como Dios la trajo al mundo, a usted nosotras la vestíamos de niña, ¿no se acuerda?, ¿sigue enfadada?, ¿de qué nos acusaba ayer?, ¿de irrespeto con Almida y con su iglesia? Ah benditos. Mejor váyanse cada cual a su sitio y déjennos poner orden a su desorden.

—¿Y Almida? —pudo preguntar Tancredo, dormido aún, recordando a toda prisa en qué sitio de la tierra se encontraba. Lentamente Sabina empezaba a huir, envuelta en la cobija, sin dejar de odiar a las Lilias burlonas que se santiguaban mirándola, como si no quisieran olvidarla.

—A Dios gracias no siguieron debajo del altar —todavía dijeron ellas persignándose, corroborando con eso que los habían espiado la noche anterior—. Ya hemos limpiado y despercudido —añadieron, cáusticas—, ya hemos quemado todo el sudor de mujer, toda la ropa sucia de mujer que nos encontramos debajo del altar, del sagradísimo altar.

Flagelada, Sabina dio otro gemido y salió de la sacristía.

—Y Machado, y el padre Almida —insistió Tancredo—, ¿no ofrecen la misa?

—Llegaron amanecidos, acuérdese, y ahora duermen. La misa de esta mañana tendrá que ser oficiada por San José, nos parece. Ellos se veían trasnochados, oh, Almida y Machado ya despertarán. Pero por Dios, lo reconocemos: es la primera vez en la vida que no ofrecen la misa de la mañana. Algo bueno les pudo haber pasado, porque no queremos creer que sea algo malo. Duermen. Se veían tan fatigados que ni siquiera lograban caminar con claridad. Pero llegaron, al fin. No iba a perderse el padre Almida el almuerzo de familia, ¿cierto?, su día predilecto, todas esas hermosas obreras que comen como camioneros y sus hijas y sus nietas, todas juntas incensando al padre Almida, ¿qué haremos?, esperar. A Dios gracias tenemos con nosotros al misacantano, bendito sea, que Dios lo ayude a cantar como los pájaros a la hora de la misa. Ya le dimos un buen caldo con costilla, que él rindió con una botella de vino, un caldo de vino, mejor, un milagro resucitador, porque ahora parece una abeja en un jardín, venga con nosotras, Tancredito, y desayune, que usted también por lo visto durmió mal, tiene ojeras como pozos, ¿es que no hay otras mujeres en el mundo para usted?, ¿más bellas, más puras?

«Siguen ebrias», pensó Tancredo. Y, al mirarlas, recordó a los gatos. Extrañaba la ausencia de maullidos, presentía los fosforescentes ojos de los gatos que ahora deambulaban como ánimas por toda la parroquia. Le parecía un mal sueño que de verdad las Lilias los hubiesen ajusticiado en la alberca, alentadas y protegidas por las otras señoras, las inmarcesibles abuelas de la Asociación Cívica del Barrio. Así de cansadas de los gatos estarían, pensó, sin poder evitar cierto temor del rostro deferente de las Lilias. Seguían mirándolo con atención. Desnudo, yacía todavía encima del jergón, y elevaba una de sus manos como si se protegiera físicamente de las palabras de las Lilias. Una de ellas se había apoderado de su ropa, y la tenía debajo del brazo, como si no pensara devolvérsela jamás. Tancredo alargó su mano, demandándola, y todas lanzaron una risotada.

–Ahora le da por vestirse –dijeron–. A buena hora.

Al fin la Lilia le entregó su ropa y él no tuvo más remedio que vestirse enfrente de ellas.

–Si olvidamos la joroba –le dijeron–, sus padres se inspiraron, Tancredito; lo vemos bien formado, tiene que dar gracias a Dios.

Y echaron a reír como enloquecidas, pero no dejaban de poner orden alrededor. Sólo el timbre del teléfono las estatizó.

–Quién podrá ser –dijeron al unísono, y contemplaron el teléfono, las bocas abiertas, las manos extendidas. Era como si el aparato tuviese la voz del reverendo Almida, presentándose de pronto en la mañana, saludándolos a todos, preguntando qué sucede, interrogándolos sobre cada una de sus responsabilidades.

Contestó Tancredo y, de nuevo, como la noche anterior, hubo un largo zumbido que decreció y se extinguió. Colgó y se quedó mirando con las Lilias.

–Nadie –les dijo.

–Nadie es el gato que murió ayer –repuso la Lilia más pequeña, con un rescoldo de amenaza en su voz. Ese momento lo aprovecharon las otras para acabar de esconder el jergón, la cobija y la almohada. Después huyeron, literalmente, de la sacristía.

–Ojalá San José alcance a cantar –decía la más pequeña, la última que salió, cuando el teléfono volvió a sonar. Tancredo lo dejó sonar dos veces y descolgó. Ningún zumbido, ninguna voz. Colgó. Sonó. Tancredo preguntaba quién era, a quién necesita, cuando por fin escuchó una voz como agarrotada por el frío. Una voz que preguntaba, a su vez, por el reverendo Juan Pablo Almida. «No lo puede atender», repuso Tancredo, «quién lo busca». Era la primera llamada a la parroquia, a esas horas, preguntando por Almida, y justamente cuando Almida se encontraba durmiendo. La voz no se identificó, sólo volvió a preguntar por Almida. «Duerme, el padre Almida está durmiendo», dijo Tancredo.

La voz colgó.

–Y sigue dormido –repuso la más pequeña de las Lilias, asomando por un instante la canosa cabeza a la puerta, únicamente la cabeza, estirando el arrugado cuello, la voz confidencial–: igual que el sacristán. ¿Despertarán algún día? Quién sabe. Quién puede saberlo. Ya les dimos su agüita de yerbabuena. La merecían.

La cabeza de la Lilia habló con calma, de una manera más que sosegada, aburrida, y cada palabra se escuchó perfectamente; incluso Tancredo creyó adivinar que sonreía cuando se preguntó si Almida y Machado despertarían.

La cabeza desapareció veloz, y dejó solo a Tancredo.

Y todavía solo, en la sacristía, contempló fascinado la llegada del reverendo San José Matamoros. Con una botella de vino en la mano, los ojos iluminados como si lloraran.

—Quiero cantar —dijo.

Ebrio, pero como si lo sostuviera una multitud de alas, exuberante, recién duchado, afeitado, sólo delataban su embriaguez los anteojos ladeados y los ojos absolutamente lelos, idos. Se sacó la vinajera del bolsillo y la mostró a Tancredo de una manera triunfal: «Vodka», dijo, y guiñó un ojo, «el padre Almida vive surtido como un cardenal», y eructó. Eructó, cuando a veinte metros de él, a sus espaldas, el pueblo entero esperaba. Era una congregación inusitada, dado el ruido de pasos, respiraciones, carraspeos, tosidos. Como un incendio en la noche la noticia del misacantano se había regado por el barrio. «Las Lilias», pensó Tancredo, «las Lilias llamaron al mundo».

De hecho, una de ellas —la más pequeña otra vez— le ofrecía una taza de café. Las otras ayudaban a vestir a Matamoros, lo esplendieron de blanco y azul inmaculados. Todavía con el café mojándole los labios, Tancredo siguió tras él, avanzó a la iglesia, y se dolió de la presencia del altar, como un remordimiento hasta las lágrimas. Pero pronto la voz del misacantano lo ayudó a olvidar, como se olvidaron de ellas mismas las Lilias y todas las abuelas de la Asociación Cívica del Barrio a la hora del padrenuestro cantado, a la hora de la bendición, inmóviles, los corazones al unísono, los ojos puestos en el padrecito que se retiraba como si acabara de librar la batalla de su vida. Completamente agotado, doblado sobre sí mismo, Matamoros —igual que ayer— volvió a sentarse en la única silla de la sacristía, junto al teléfono. «Un día de éstos se me va a partir el corazón», dijo, y pidió un whisky a Tancredo, un whisky, como suena, en mitad de la sacristía, igual que si se encontrara en el bar de los prostíbulos que Tancredo visitaba en demanda de comensales. Pues bien: un whisky le aparecieron, con vaso alto y crujiente de hielos, de inmediato, las tres Lilias.

–Es usted bendito, padre –le dijeron.

En el jardín, sentadas al borde de la fuente, pecosas de la sombra de los sauces, en el cielo sin nubes y el reposo del viernes, ese viernes, primer viernes de su vida sin cocinar, sumidas en el ensueño plácido de las once de la mañana, las Lilias oían cantar un bolero a Matamoros, sentado como ellas, junto a ellas, apacible. Y cerca, sin que nadie reparara en sus presencias, dispersas en las esquinas, recostadas a los sauces, levitantes, las siete o nueve ancianas de la Asociación Cívica del Barrio escuchaban la parábola cantada –consideró Tancredo, descubriendo de pronto ese montón de estatuas embelesadas que se regaban beatíficas por todas partes, ¿en qué momento las buenas señoras entraron en la parroquia?, ¿y por la iglesia, por la sacristía, sin pedir permiso, como en su casa? Casi mediodía, el sol lograba calentar las paredes, el Almuerzo de familia se avecinaba y las Lilias no tocaban la cocina. Las viejas adoradoras veían beber a Matamoros, oían cantar a Matamoros, olvidaban o parecían olvidar que Juan Pablo Almida, su párroco, su benefactor, dormía, y que había que despertarlo. «Tengo que despertar al padre», se repitió Tancredo, en un rincón del jardín, pero siguió quieto, atento al canto, igual o más hipnotizado que las adoradoras.

–Debemos despertar al padre Almida –le dijo de pronto Sabina, a su lado, vestida de gris, la pañoleta gris en la cabeza, la mano fría rozándolo–. Tenemos que advertirle que ya casi es mediodía –insistió realmente asombrada–. Almuerzo de familia y Almida y mi padrino duermen.

Tancredo no respondió. La presencia de Sabina lo congelaba, la mano de Sabina en su mano.

–Pero aquí nadie parece acordarse de ellos –siguió Sabina. Sus ojos admirados se paseaban por entre los arrobados semblantes de las señoras, como si las desconociera–. Es increíble –dijo–: todo por la voz del borracho. –Se ruborizó–: y pensar que anoche su mano de buitre casi me quemó. –Sonrió hipnotizada–: Es un milagro al revés. –Observaba con esplendente curiosidad a Matamoros, ¿acaso también lo veneraba?–. Ese padre está que se cae –lo admiró–. Es como una fiesta amanecida. –Y, repentinamente angustiada–: Aquí nadie parece darse cuenta.

Eso ya no lo pudo soportar Sabina. Dio un paso adelante, se mordió los labios.

–El padre Almida no demora en venir –les dijo a las Lilias con un grito, todavía aferrando la mano de Tancredo–. ¿A nadie le importa? –Enmudeció el canto, Matamoros se limpió el sudor de la frente, se restregó los párpados, ¿iba a dormir?, por lo visto dormía a conveniencia, ¿o de verdad cantó demasiado?, fuera

132

lo que fuera las Lilias embebidas y las demás adoradoras se paralizaron; pareció detenerse el tiempo.

–El padre Almida no demora en despertar –repuso tranquilamente una Lilia–. Es su viernes predilecto, no se lo va a perder. –Encorvada, sentada al filo de la fuente, sonriente, casi una niña asomada al agua, los rayos del sol la iluminaban. Parecía más feliz que la mañana: Sabina la odió.

Entonces, por sobre todas las cosas, se oyó la trabajosa voz de Matamoros:

–Podemos cantar el Te Deum Laudamus –dijo, la voz entristecida pero justiciera, los brazos abiertos, la cabeza doblada como si hablara al cielo–, podemos repetir el acto de contrición de san Francisco Javier, elevar un Trisagio a la Santísima Trinidad, lanzar preces al Sagrado Corazón de Jesús, entonar juntos un Vía Crucis: iremos por la tercera estación, cuando Jesús cae la primera vez, y acaso cantaremos mejor, o nos dormiremos; iremos por la sexta estación, cuando la Verónica enjuga el rostro de Jesús, y acaso seamos felices, o infelices, y más infelices en la séptima, cuando Jesús cae la segunda vez, y en la duodécima moriremos con Jesús muriendo en la cruz, y después, para agradecer todo el sufrimiento, adoraremos las cinco llagas de Jesús sacrificado, cantaremos a la llaga del pie izquierdo, a la llaga del pie derecho, a la llaga de la mano izquierda, a la llaga de la mano derecha, a la herida en el costado, y seguiremos con una oración a Jesús azotado en la columna, Jesús coronado de espinas, y lanzaremos los lamentos de las benditas almas del purgatorio, y luego un responso, y lloraremos de infelicidad.

Hubo un silencio rotundo, desde el cielo.

–¿Queremos llorar? –dijo el padre incorporándose. Y se respondió de inmediato–: nunca. Nunca otro sufrimiento. Ya no queremos sufrir más.

También de inmediato se desplomó más que se sentó. Parecía morirse por el esfuerzo.

–Descanse usted, padre –le dijeron las Lilias, rodeándolo.

Sólo una de las señoras pareció alarmarse ante las palabras de San José. No solamente se alarmó con su gesto, la blanca y arrugada mano en la frente, sino que se desmayó. Hubo un revuelo de faldas en torno a ella. Por fin la vieron despertar, recuperarse, sus ojos parpadeando.

–Por Dios –dijo–, si yo estoy bien. El que necesita ayuda es el padre San José, bendito sea.

Ante ese desmayo y su desenlace, Tancredo elevó los ojos, resignado. Vio la dorada cúpula de la iglesia, siempre distante, siempre ajena. Y, sin proponérselo, entrevió la puerta del aposento de Almida, en el segundo piso, que daba al jardín. La puerta estaba abierta. Podía verla, abierta, desde el jardín. De inmediato se dirigió a las escaleras, Sabina detrás. Subieron corriendo. Así era: la puerta seguía abierta. Avanzaron, en punta de pies. *«¿Padre Almida?»* La persiana, cerrada, creaba una suerte de noche, una dolorosa penumbra. Se asomaron al rostro. La boca tiesa y torcida, desesperada, convertida en un grito mudo. Un vómito verde manchaba la almohada de plumas.

134

Sabina corrió al cuarto siguiente, el de Machado. En pocos segundos se oyó su grito, breve, opaco.

Se encontraron en el pasillo.

Era como si Sabina levitara, desconocida, sus ojos iluminados, porque todavía en el espejo de la incredulidad se sonreía. Se sonreía, y enlazaba las manos. Ahora tenía puestos los esperanzados ojos en el cielo.

En eso llegaron las Lilias, intempestivas. Fue como si los enfrentaran, en el segundo piso de la parroquia, en el pasillo reverdecido de helechos, ante las demás señoras que aguardaban en el jardín. Mudas y enrojecidas las Lilias se asomaron a las puertas abiertas de par en par. Y se oyó la voz de cualquiera de ellas:

–Si no despiertan –dijo como si dictaminara una orden– tendremos que llorar mucho y rezar toda la vida. Así llegaron de casa de don Justiniano. Así los trajo Dios de vuelta. Nosotros ni nos dimos cuenta, que Dios nos perdone, tendremos que llorar y rezar toda la vida.

Y volvieron a escabullirse en las profundas escaleras.

Reaparecieron en el jardín, los brazos en jarra, ante el grupo de abuelas que rodeaba al reverendo San José: dormía como las piedras. Las siete o nueve señoras les abrieron paso con un respeto rayano en la veneración. Hacía sol, el cielo esplendía, pero de las oscuras figuras que se aglomeraban en torno a la fuente irradiaba el frío, un presagio de lluvia, una atmósfera azul, una íntima nube de hielo que ennegrecía los sauces. «Háganse cargo», les dijeron las Lilias, «nosotras ya vendremos con ustedes, pero sólo cuando el padre Matamoros haya reposado, ¿es que no lo ven?, hoy cantó demasiado». Desde el segundo piso Tancredo y Sabina escuchaban.

Y las vieron llevarse a Matamoros, ¿lo cargaban de nuevo?, no lo distinguían, oculto en mitad de las viejas, de sus brazos abiertos y sus chales negros como alas.

Barcelona, 1999 – Bogotá, 2000

Últimos títulos